Bernhard

DIE NEUE WIRKLICHKEIT

Verlag Holzhausen · Wien 1996

Bernhard Görg, geboren 1942 in Horn, Niederösterreich, studierte an der Universität Wien. 1963 promovierte er in Geschichte und Latein und 1967 in Jus. 1968 trat er in die IBM Österreich ein. Nach einem längeren Aufenthalt in Paris als Leiter der Personalplanung für die IBM Europe kehrte er 1974 nach Wien zurück und übernahm die Personaldirektion der IBM für Osteuropa. Kurz darauf wurde er Geschäftsleitungsmitglied der IBM Österreich. 1986 übernahm er die Leitung der Neumann-Beratungsgruppe. Seit September 1992 ist er Landesparteiobmann der ÖVP Wien.

INHALT

DANK

Als mich Freunde vor einem Jahr dazu überreden wollten, ein Buch zu schreiben, da fiel es mir zunächst leicht, die Versuchung abzuwehren. Ich hatte vor fast zehn Jahren schon einmal ein Buch über die Zukunft des Managements geschrieben und mir war daher über das Ausmaß der zeitlichen Beanspruchung kein X für ein U vorzumachen. Aber meine Freunde wußten Abhilfe in Gestalt von Claudia Semrau-Lininger und Eugen Semrau.

Claudia Semrau kommt der Löwenanteil am Entstehen dieses Buches zu. Sie hat fast die gesamte Research-Arbeit gemacht und hat vieles zum endgültigen Text beigetragen. Sie war viel mehr als eine wertvolle Unterstützung, de facto war sie Co-Autorin. Ohne ihre Arbeit gäbe es dieses Buch nicht. Für ihr Engagement möchte ich ihr aufrichtig danken.

DIE ALTE WIRKLICHKEIT: ZUKUNFT ALS GEGENWART PLUS ZEHN PROZENT

Als Student habe ich einmal im seinerzeit hochpopulären „Reader's Digest" eine Geschichte über den amerikanischen Erfinder Charles F. Kettering gelesen. Ich bin gar nicht sicher, ob ich mir gemerkt habe, was er alles erfunden hat – unter anderem die elektrische Zündung für Autos – aber ein Zitat von ihm in dieser Story hat mich damals elektrisiert und tut das noch heute: „Ich interessiere mich sehr für die Zukunft. Schließlich werde ich den Rest meines Lebens in ihr verbringen".

Als ich im Jahre 1968 begonnen hatte, bei IBM zu arbeiten, stand das Thema „Zukunft" automatisch auf meiner Agenda. Der Computer war in den 60er Jahren der Inbegriff eines Zukunftsproduktes, allerdings viel mehr mit Ängsten als mit Hoffnungen verbunden. Bald bin ich draufgekommen, daß mich – soweit sie überhaupt voneinander trennbar sind – die gesellschaftlichen und sozialen Fragen der Entwicklung der Zukunft noch mehr interessiert haben als die rein technischen. So wie seit meiner Jugend meine persönlichen Helden der Weltgeschichte eher Henri Dunant, Abraham Lincoln und Thomas Morus als Christoph Columbus, Thomas A. Edison oder später Bill Gates gewesen sind.

Dieses generelle Zukunftsinteresse ist einer der Gründe, dieses Buch zu schreiben. Der andere Grund sind meine Kinder. Ich selbst stamme aus einem klassischen christlich-konservativen Elternhaus, in dem mir und meinen Geschwistern klare Werte vermittelt worden sind. Dazu gehörte selbstverständlich der sonntägliche Kirchgang, vorzugsweise gemeinsam. Dazu gehörte auch, daß man die Wahrheit sagt, auch wenn man mit der Unwahrheit besser davonkäme, daß man einem Bettler etwas gibt und vieles andere mehr, was ich hier nicht näher zu erläutern brauche. Nicht alles davon ist bei mir auf fruchtbaren Boden gefallen, weil auch damals schon die elterliche Wertewelt eine Konkurrenz in Gestalt der Werte bekommen hat, die die Freunde und Schulkameraden, die Umwelt und der damalige „Zeitgeist" vermittelt haben. Die eigenen Wertvorstellungen sind immer eine Mischung aus Elternhaus und Außeneinflüssen, und sicher habe ich sowohl bewußt als auch instinktiv versucht, sie an meine Kinder weiterzugeben. Vordergründig betrachtet, mit geringerem Erfolg, als ihn meine Eltern mir und meinen Geschwistern gegenüber gehabt haben. Seitdem meine Kinder halbwüchsig sind, gehen sie nur mehr dann in die Kirche, wenn sie wollen – und im Moment wollen sie sehr selten. Und eine lebenslange Partnerschaft erscheint ihnen durchaus wünschenswert, aber keinesfalls als Verpflichtung. Den Standpunkt, den ihr Vater in der Homosexuellenfrage einnimmt, kritisieren sie eher, als daß sie ihn gutheißen. Und erst durch die ständige Diskussion mit meinen Söhnen habe ich begreifen gelernt, warum viele Jugendliche, die aus einem ähnlichen Stall stammen wie meine Kinder, die Volkspartei – um es milde auszudrücken – nicht mit der gleichen Selbstverständlichkeit wählen, mit der das noch meine Generation getan hat.

Daß meine Kinder in vielem andere Wertvorstellungen haben als ich, führt zwar zu manch engagierter Debatte bei uns zuhause, aber es schockiert weder meine Frau noch mich. Wenn wir uns – wie vermutlich alle Eltern dieser Welt – früher manchmal gefragt haben, ob wir bei der Erziehung unserer Kinder auch alles richtig machen, ist für mich die Art und Weise, wie sie sich entwickelt haben, eine positive Bestätigung. Die Tatsache, daß sie sich von den Wertvorstellungen ihrer Eltern weiter entfernt haben als wir von jenen unserer Eltern, ist für mich ein Hinweis darauf, daß heute die Außeneinflüsse und der sogenannte Zeitgeist eine noch stärkere Kraft haben, als das zu meiner Jugendzeit der Fall war. Dabei weiß ich, daß ich mich mit dieser These auf ein unsicheres, schlüpfriges Terrain begebe, weil ich gleichsam den Mikrokosmos meiner Familie zu einer allgemein gültigen These mache. Aber auch wenn die These gewagt ist, so bleibe ich dabei: Die Konkurrenz zwischen den Kräften der individuellen Erziehung und den Außenkräften wird zunehmend härter. Und zwar zu Lasten der individuellen Erziehung. Die Werte entwickeln sich ähnlich wie das Alltagsleben. Über sehr lange Zeit in der Geschichte der Menschheit hat sich die Zukunft nicht wesentlich von der Vergangenheit und der Gegenwart unterschieden. Im 19. Jahrhundert war es schon erstmals so, daß die Welt zum Zeitpunkt des Todes eines Menschen anders ausgesehen hat als bei seiner Geburt. Bis zur Mitte unseres Jahrhunderts sind die Veränderungen noch langsamer passiert. Das ist heute völlig anders. Zukunft ist nicht mehr Gegenwart plus zehn Prozent.

Der dritte Grund für meine Neugierde und meine Beschäftigung mit unserem Thema hat mit meinem früheren Beruf als Manager in der Wirtschaft zu tun. Über weite Strecken meines damaligen Berufslebens habe ich viel mit jungen Menschen zu tun gehabt. Wohl großteils mit sehr gut ausgebildeten jungen Leuten, die zwar nicht repräsentativ für die gesamte junge Generation waren, aber dafür war der Kontakt umso intensiver. Sehr bald habe ich da für mich mit einigen gängigen Vorurteilen aufräumen können. Vor allem mit dem, daß die Jungen weniger tüchtig wären als die frühere Generation. In puncto traditionellem Bildungsgut war da zwar was dran, aber das wurde wettgemacht durch andere Kenntnisse und Fertigkeiten, von denen Angehörige meiner Generation nur träumen konnten. Es stimmt, in den 70er Jahren hat es einmal eine Periode der Leistungsverweigerung und vor allem der Gesprächsverweigerung gegeben, aber das scheint mir nur ein Ausrutscher der Geschichte gewesen zu sein. Wie wir heute wissen, ist ein Großteil der berühmt-berüchtigten 68er-Generation schließlich auch in den Armen des „Establishments“ gelandet.

Allerdings bin ich bei vielen Diskussionen auf Universitäten auf ein Phänomen gestoßen, das mich einerseits amüsiert, andererseits aber auch die Zerrissenheit der Wertvorstellungen der Jugend aufgezeigt hat, die bis in die frühen 60er Jahre einfach nicht bekannt war. Solange ich bei Diskussionen auf dem Podium gesessen bin und dabei den Typus des leistungsorientierten Managers repräsentiert habe, sind meine Vorstellungen vom jungakademischen Publikum zum Teil heftig attackiert worden. Oft hat sich an solche Podiumsdiskussionen ein kleines Privatissimum angeschlossen, bei dem die gleichen jungen Menschen, die sich zuerst als wortgewandte Kritiker des Leistungsgedankens und des Glaubens an Wirtschaftswachstum profiliert hatten, dann besonders begierig waren, zu erfahren, welche Zusatzqualifikationen über ein abgeschlossenes Studium hinaus denn besonders wichtig wären, um bessere Startchancen in der Industrie zu haben. Den Widerspruch haben sie gar nicht bemerkt.

Und zu guter Letzt hat mein Interesse für das Thema mit meiner jetzigen Tätigkeit als Politiker zu tun. Jeden Politiker muß die Frage beschäftigen, wie er mit der Zukunft umgeht. Mit den praktischen Konsequenzen wie der Veränderung der Arbeitswelt, der technologischen Entwicklung, dem wachsenden individuellen Sicherheitsbedürfnis bei gleichzeitigem Anwachsen kollektiver Unsicherheitsfaktoren, wie z. B. den Grenzen der Finanzierbarkeit. Vor allem aber muß er sich fragen, wie er es mit seinen persönlichen Wertvorstellungen und den Veränderungen in der Gesellschaft hält. Soll er seine Werte mit einem Betonmantel umhüllen und sich mutig der Flut der ständigen Veränderung entgegenstemmen? Und wenn er die Flut schon nicht zum Stillstand bringen kann, soll er so zumindest Energiebrecher sein? Oder soll er nur darauf achten, sich von der Flut mittragen zu lassen, und nur danach trachten, den Kopf oben zu behalten? Soll er Surfer oder soll er Welle sein? Meine Antwort darauf soll vor allem das letzte Kapitel dieses Buches geben.

GENERATIONENKONFLIKT DER ANDEREN ART: WIEVIEL **ICH**, WIEVIEL **WIR** BRAUCHT EINE GESELLSCHAFT?

Wenn DU nicht für dich bist,
wer ist dann für dich?
Wenn du NUR für dich bist,
wer bist du dann?
Wann – wenn nicht jetzt?

Talmud

Schwer vorstellbar, daß diese Frage nicht viele von uns ähnlich wie mich bewegt: wieviel Ich, wieviel Wir ist gut für uns alle? Denken wir daran, wie vergangenen Generationen ständig das Zurückstellen eigener Wünsche und Bedürfnisse gepredigt worden ist! Gehorsam, Unterordnung, Anpassung waren die hohen Ziele der Gesellschaft – auf Kosten des einzelnen – der laut Bibel nach dem Bild Gottes geschaffen, von weltlichen und geistlichen Herrschern aber jahrhundertelang geknebelt und gedemüdigt worden ist. So gesehen, hat unsere Gesellschaft einen großen Sprung vorwärts getan. Auf der anderen Seite ging diese Entwicklung mit einem Erlahmen mitmenschlicher Solidarität und Verantwortung einher. Hat alles Gute seine schlechte Kehrseite? Macht uns jeder Entwicklungssprung unsere neue Verantwortung bewußt? Ich finde, man muß in solche Überlegungen hineinspringen – mutig, vorurteilslos, abenteuerlustig!

Wenn auch die Ursachen für die gesellschaftlichen und wirtschaftlichen Unwägbarkeiten unserer Zeit zu komplex sind, als daß sie auf einen politischen Nenner gebracht werden könnten, sind doch einige der internationalen Entwicklungen, die auf das 21. Jahrhundert verweisen, deutlich wahrnehmbar. Im „Global Village" ist auch Österreich schon lange keine Insel der Seligen mehr. Auch hierzulande sind das zeitgeistige Klima und die Erwartung des nächsten Jahrtausends geprägt von irrationalen Ängsten und von der Sorge um eine humane

Entwicklung, die mit dem technischen und wissenschaftlichen Fortschritt der Welt nicht Schritt zu halten scheint. Daneben beobachten wir den Zerfall politischer Systeme, sozialer Einheiten und institutioneller Organisationen, die um Identität und Neudefinition kämpfen. Wem der globale Wandel zu abstrakt oder zu fern ist, der spürt seine Auswirkungen doch im nächsten Umfeld. Überall ist die Rede von neuen Verträgen zwischen Gesellschaft und Staat, zwischen den Jungen und den Alten. Als Zerreißprobe des Sozialstaates kündigt sich bereits der Konflikt zwischen den jüngeren und älteren Generationen an. Es geht um mehr als nur um die Konfrontation alter und neuer Wertvorstellungen. Es geht um die „Menschwerdung des Menschen" unter den Bedingungen einer Welt von bisher nicht gekannter technischer Vernetztheit.

Der Generationenkonflikt ist wahrscheinlich so alt wie die Menschheit selbst. Die Unvereinbarkeit verschiedener Erfahrungswelten, die babylonische Sprachverwirrung zwischen Jung und Alt, der Kampf zwischen Bewahren und Aufgeben: all das ist Teil des Veränderungszyklus einer Gemeinschaft. „Jugend", so schreibt der Soziologe Claus Leggewie, „steht bei Erwachsenen von jeher unter einem Generalverdacht. In allen ‚guten alten Zeiten' galt die jeweilige ‚Jugend von heute' pauschal als verderbt und schlecht."[1] Auch die Tatsache, daß soziale Gefüge zerbrechen, ist nicht erst ein Phänomen der jüngsten Zeit. Wir kennen die Probleme, die besonders im städtischen Bereich durch die allmähliche Zersetzung großfamiliärer Strukturen entstanden sind, aus den Anfängen unseres Jahrhunderts. Was wir aber unterschätzt haben, ist die Schnelligkeit der Entwicklung hin zu Individualisierung im beruflichen und privaten Leben am Ende dieses Jahrhunderts. Von der Kleinfamilie über das Einzelgängertum führt der Weg konsequent zum Einpersonenhaushalt und Single-Dasein. Die gegenwärtige technische Entwicklung unterstützt die Ausklammerungstendenzen noch, indem sie ihren Benutzern immer mehr Unabhängigkeit verschafft. Information, Unterhaltung, Arbeit und Freizeit bedingen im Zeitalter des Computers die Nähe zum Mitmenschen nicht mehr.

Die neuen Distanzen zwischen Menschen würden vielleicht – so könnte man meinen – das Gefahrenpotential und die Konfliktherde des Zusammenlebens entschärfen. Doch dies scheint nicht der Fall zu sein.

---

[1] Leggewie, Claus: Die 89er. Portrait einer Generation. Hamburg 1995, S. 13

Im Gegenteil: Die Aggressivität nimmt in manchen Segmenten der Gesellschaft zu. Einem wachsenden Egoismus steht die ebenso wachsende Notwendigkeit gegenüber, miteinander auskommen zu müssen. Dazu kommt, daß Mißbräuche im System des Wohlfahrtsstaates, wie wir sie in den letzten Jahrzehnten erlebt haben, die Situation weiter erschweren. Das Bewußtsein gemeinsamer Verantwortung ist unbequem. Ängste und Unsicherheiten einer Jugend, die ihre Zukunft gefährdet sieht, sind ebenso verständlich wie die Frustrationen jener Generation, die am Aufbau einer sozial und wirtschaftlich scheinbar gesicherten Existenz beteiligt war und das Schwinden dieser Sicherheit nicht akzeptieren will.

Verständlich sind sie, die Ängste und Ressentiments der Jungen und der Alten, ein guter Nährboden für Visionen sind sie aber nicht. Ohne die Vision einer „neuen Ethik" und einer „political correctness", wie sie nicht nur in den USA neuerdings lautstark und plakativ gefordert wird, werden wir die Kluft zwischen Anspruch und Realität, zwischen alter und neuer Wirklichkeit nicht überbrücken können. An überkommenen Wertvorstellungen festzuhalten, neuen Entwicklungen mit Panik zu begegnen, die Jugend zum Sündenbock für unliebsame Trends zu machen oder die „Diktatur der Alten"[2] an die Wand zu malen, wird ebenso wenig den Weg in das 21. Jahrhundert weisen wie das Versprechen von Sicherheiten und Stabilitäten, die es in der gewohnten Weise nicht mehr geben wird. Die Veränderungen, die uns noch mehr an Flexibilität und Anpassungsvermögen abverlangen werden, betreffen uns unabhängig von der Zugehörigkeit zu einer Gruppierung oder Generation oder Altersklasse: „Wir müssen uns nicht nur von Vergangenheit und Gegenwart, sondern damit auch von vielen liebgewonnenen Gewohnheiten verabschieden. Im Gegenzug werden wir so aber auch von vielen negativen Erscheinungen befreit. Trennen müssen wir uns vor allem von jeder Linearität, von allen geradlinigen, logischen, schlüssigen Entwicklungen und Plänen. Unsere Welt ist längst so komplex, so widersprüchlich, so sehr international vernetzt, daß kein einzelner mehr seinen Willen oder seine Ideen durchsetzen kann."[3] Diese Aussagen des Trendforschers Gerd Gerken mögen manchem zu apodiktisch klingen, doch kommen sie der Realität ziemlich nahe.

---

[2] So der Titel einer Rezension, in: Die Zeit vom 10. 3. 1995

[3] Gerken, Gerd/Konitzer, Michael A.: Trends 2015. Ideen, Fakten und Perspektiven, Bern, München, Wien, 1995, S. 10

Wir werden lernen müssen, in Zukunft in Widersprüchen zu denken und nicht-lineare Antworten zu geben. Dieses Widerspruchsmanagement wird die neue Logik werden, die aber der komplexen Wirklichkeit eher gerecht werden kann als der Versuch, eindeutige und für alles und jedes gültige Aussagen zu formulieren.

Die Gesellschaft wird immer auf analytische Interpretationen der in ihr ablaufenden Vorgänge und ihrer Rahmenbedingungen angewiesen sein. Solche Analysen sind notgedrungen vereinfachend, fehlerhaft und abstrakt. Trotzdem bedienen wir uns ihrer, da wir Orientierungslinien und rationale Handhaben zur Einschätzung unserer Zukunft und unserer weiteren Entwicklung brauchen. In diesem Licht ist auch der Boom der sogenannten *Trendliteratur* zu verstehen. Gemeint sind damit die mehr oder weniger umfangreichen Nachschlagewerke jener Autoren, die gängige Trends in allen Bereichen des Lebens beobachten (manchmal auch schaffen) und versuchen, die Widersprüchlichkeit und Schnellebigkeit unserer Zeit in überschaubare Einheiten zu bringen. Das „Geschäft mit der Zukunft“ nennt Holger Rust im Untertitel seinen Aufriß der Trendforschung und beendet sein Buch mit der längst zum Zitat gewordenen Zusammenfassung: „Die neue Unübersichtlichkeit“.[4]

Ebenso unübersichtlich sind auch alle Versuche, die Jugend von heute in einem Gruppenbild zusammenzufassen, um wenigstens eine Ahnung des flüchtigen Zeitgeistes zu erhaschen. Es funktioniert nicht. Alle Etikettierungen der „namenlosen Generation zwischen 20 und 30“ entstammen der Weltsicht einer Generation, die gewohnt war, in der sozialen Wirklichkeit Strukturen zu sehen und zu benennen. Die nachkommenden Generationen aber entziehen sich weitgehend jeder Identifizierung und Strukturisierung. Dies ist jedoch nicht Ausdruck einer jugendlichen Protesthaltung, sondern vielmehr der chamäleonhafte Geburtsweg neuer Anpassungen und neuer Identitäten, die den Erfordernissen der Zeit in einer instabilen Welt angepaßt sind. Der vielsagende Name *Generation X* stammt von einem Vertreter eben dieser Generation, Douglas Coupland, der mit seinem Kultroman „Generation X. Geschichten für eine immer schneller werdende Kultur“[5] das

---

[4] Rust, Holger: Trends. Das Geschäft mit der Zukunft, Wien 1995

[5] Coupland, Douglas: Generation X. Geschichten für eine immer schneller werdende Kultur, München 1991

so fremde und nicht benennbare Lebensgefühl der „Twenty-somethings“ authentisch zu transportieren versuchte. Der Begriff „Generation X“ hat sich als Bezeichnung für die Jugend („Twenty-somethings“ = Menschen zwischen 20 und 30 Jahren) der 90er Jahre durchgesetzt. Die Namensgebung wird Karen Ritchie, der Direktorin einer Werbeagentur, zugeschrieben, die diesen Ausdruck zum ersten Mal bei einer Rede vor amerikanischen Zeitungsverlegern gebrauchte. Die Bezeichnung kam für die Medien und die Wirtschaft, die die Jugend als Zielgruppe für Werbestrategien brauchte, mehr als gelegen.

Die Protagonisten in Couplands Roman sind drei junge Menschen in Amerika, die dem kapitalistischen Konsum frönen, in die Wüste von Palm Springs ziehen und sich mit „Mc Jobs“ (niedrig dotierte Jobs mit wenig Prestige, wenig Würde und wenig Nutzen) ihren Lebensunterhalt verdienen. Sie leben in einer Zeit, in der nichts zu passieren scheint („historical underdosing“), sie kreieren sich ihre Geschichte(n) selbst, erzählen sie einander und versuchen, damit ihre Sehnsüchte und Ängste aufzuarbeiten.

Um eine Darstellung der Lebenswelt der heutigen jungen Generation geben zu können, werden regelmäßig Studien und Umfragen in Auftrag gegeben: Was bewegt die Jugend? Wie stellt sie sich dar und über welche Stilmittel und Medien drückt sie sich aus? Gibt es Anliegen und Werte, für die sich die Unter-Dreißigjährigen einsetzen?

Es ist nicht einfach, ein nur annähernd stimmiges Bild von der „unsichtbaren“ oder „widersprüchlichen“ Generation zu entwickeln. Daher sind die Ausschnitte der in diesem Buch wiedergegebenen Interviews auch nur Skizzen, die der Veranschaulichung gewisser Sachverhalte dienen, aber nicht den Anspruch erheben, repräsentativ zu sein.

Sonja, 25 Jahre, Studentin

Was meine Zukunft anbelangt, ist mir in erster Linie wichtig, den Beruf mit meinem Privatleben zu verbinden. Eine eigene Familie kommt für mich derzeit nicht in Frage, denn an erster Stelle steht nach wie vor der Beruf. Ich möchte zumindest für mich einen Weg finden, wie ich selbständig mit meiner Arbeit umgehen kann. Meine Arbeit soll mich nicht nur erhalten, sondern auch ausfüllen, also zufrieden-

stellen. Das ist mir in erster Linie wichtig. Ich möchte keine Familie gründen, und dann von irgendwem abhängig sein. Gut, Zukunftsängste habe ich schon manchmal, aber wenn ich mit meinem Studium fertig bin, werde ich ungefähr 29 sein. Da muß ich dann einfach selbständig sein. Deswegen ist mir auch mein Umfeld so wichtig, also mein Freundeskreis. Ich glaube, daß die Leute, mit denen ich zusammen bin, mich in einer Art und Weise unterstützen, wie es meine Eltern nicht können. Meine Mutter und mein Vater haben ganz andere Interessen als ich.

Spiegeln Aussagen wie die der 25jährigen Studentin wirklich das Lebensgefühl einer ganzen Generation wider? Befragt man Jugendliche heute nach ihren Wertvorstellungen und Zukunftsplänen, so bekommt man des öftern Antworten wie diese, die auf eine sehr individualistische und fast narzißtische Lebensführung hindeuten.

Gaby, 21 Jahre, Air-Hosteß

Es hat sich in unserer Generation viel hinsichtlich der Selbständigkeit getan. Vor allem haben wir gewisse Freiheiten, die unsere Eltern nicht gehabt haben. Was ich also wesentlich angenehmer an unserer Generation finde, ist die Freiheit. Ich kann mein Leben so gestalten, wie ich will. Dadurch aber, daß ich so eine große Auswahl habe und kein vorgegebenes Muster mehr, muß ich mich selbst orientieren. Es gibt so viele Möglichkeiten. Es ist aber auch schwerer geworden, sich da zurechtzufinden, weil auch die Aufgaben größer werden, nicht nur die Selbständigkeit...

Der größere Entscheidungsfreiraum ist sicher eine allgemeine Tendenz des gesellschaftlichen Wandels und betrifft mehr oder weniger alle Jugendlichen. Doch dieser Freiheitsbereich wird in unterschiedlichem Maß von ihnen genutzt. Denn, und da sind sich alle Sozialwissenschaftler und Jugendforscher einig, die Jugend als homogene Gruppe mit soziodemographisch klaren Trennlinien gibt es schon lange nicht mehr. Daher reagieren die meisten Angehörigen der „Generation X" mit Befremden auf alle Versuche, ihnen von außen eine sozialwissenschaftlich angefertigte Etikette zu verpassen. Typologien nach Jahrgängen oder sozialem Hintergrund sind keine gültigen Bewertungsgrundsätze mehr, um das Weltbild der jungen Generation auch nur ansatzweise zu erfassen. Auch die Jugendlichen identifizieren sich nicht mit einem geschlossenen Begriff von *Jugend*: „Wir, das wechselt."[6]

Doris, 23 Jahre, Studentin

Ich finde, daß die heutige Jugend aufgesplittert ist, da es so viele verschiedene Gruppen mit ihren jeweiligen Vorstellungen und Zielen gibt. Mir kommt vor, daß alles sehr vielfältig geworden ist. Früher blieb man in einem Beruf oder in einer sozialen Schicht. Heute ist das anders. Durch die Möglichkeit, zu studieren oder einer Ausbildung nach Wahl nachzugehen, muß es nicht sein, daß man in der Schicht bleibt, in der man aufgewachsen ist. Mir scheint auch, daß sich Werte gewandelt haben, wie z. B. die fixe Anstellung bis zur Pensionierung – dieser Wert ist einfach nicht mehr vorhanden. Das Privatleben ist teilweise wichtiger geworden als das Berufliche. Im allgemeinen sind die Menschen viel ich-bezogener. Damit ich mein Leben individueller gestalten kann, muß ich teilweise egoistisch sein. Ich möchte es nicht sein, aber ich kann mir vorstellen, daß es oft der Fall ist.

Zersplitterung, Orientierungslosigkeit, Individualismus und Egoismus sind Schlagworte, die im Zusammenhang mit der Jugend gern genannt werden. Dies irritiert, denn man vermißt Strömungen, die früher immer der jungen Generation zugeschrieben wurden: jugendliche Revolte, Engagement, Weltverbesserungsinitiativen. Hier scheinen vor allem Angehörige der 68er-Bewegung persönlich und politisch enttäuscht von denen, die ihnen nachfolgten und die selbst bei so einschneidenden Veränderungen wie dem Fall der Berliner Mauer und der Öffnung Osteuropas ungerührt bleiben. Das Ausbleiben von Aufbruchsstimmung bei der sogenannten 89er-Generation ist immer wieder Anlaß zu Analyse und Kommentar. Die Jugend sei zu ruhig, meinen die einen; Gewalt, Extremismus und Delikte würden zunehmen, befürchten andere.

Jugend als eine Übergangsphase zwischen Kindheit und Erwachsensein war in gewisser Weise immer eine Zeit der Individualisierung, der Suche nach Wertmaßstäben und Orientierungen und der Auseinandersetzung mit übergeordneten Strukturen und Institutionen. In diesem Sinn bildete sie von jeher eine Art Gegenwelt zur Welt der Erwachse-

[6] Zit. nach Leggewie, a. a. O., S. 33

nen. In ihren Protesthaltungen und alternativen Einstellungen in bezug auf wesentliche existentielle Fragestellungen waren Jugendliche in den Augen Erwachsener immer schon unbequem, undurchschaubar und zuweilen beängstigend. Dabei wird oft übersehen, daß es auch die Aufgabe der Jugend ist, die uneingestandenen Hoffnungen, Ängste oder Gedanken der älteren Generation zu artikulieren, also den nicht etablierten Teil der Gesellschaft zu repräsentieren. Jugendliche haben nicht nur andere Meinungen als ihre Eltern, sondern sie vertreten oft lautstark nach außen, was ältere Generationen nicht mehr zu denken, geschweige denn zu sagen wagen. Von daher hat die Jugend in der ideologischen Auseinandersetzung einer Gesellschaft, in der Wertediskussion und im Wandel von Einstellungen und Moden immer eine wesentliche Rolle innegehabt. Aber auch in dieser Auseinandersetzung zwischen dem Vorwärtsdrängen der Jüngeren und dem Konservativismus der Älteren bezog man sich auf ein bestimmtes Weltbild. Man wußte, wofür oder wogegen man war. Wenn die Jugend protestierte, dann tat sie es zumeist geschlossen und mit einem bestimmten Ziel vor Augen. Doch diese Art des Generationenkonfliktes gibt es nicht mehr. In einer sich immer schneller verändernden Gesellschaft bekommen die alten Konflikte neue Nuancierungen. Dies vereinfacht weder den Umgang mit ihnen, noch macht es Lösungen leichter. Es geht heute nicht mehr darum, die Protesthaltung der Jugend zu begreifen, um sich mit ihr auseinanderzusetzen. Es werden nicht mehr nur bestimmte Konflikte zwischen den Jungen und den Alten oder zwischen zwei verschiedenen Weltbildern ausgetragen. Es geht nicht mehr um Anti-Haltungen oder um ein einfaches Pro und Kontra. Viele meinen: Was sollen die Älteren in einer zerfallenden Welt überhaupt noch verteidigen wollen? Wofür sollen sich junge Menschen, für die die Scheinwelt der Videoclips mit der Realität gleichwertig zu sein scheint, noch einsetzen? Der Erdball wird im Informationszeitalter für uns alle kleiner, doch die Distanzen zwischen den Menschen werden größer und die Verständigungsschwierigkeiten nicht nur zwischen den Generationen, sondern auch innerhalb von Generationen und Familien nehmen zu. Wir müssen nicht mehr so sehr von Generationenkonflikt als vielmehr von Generationendistanz sprechen.

Seit Neil Postman wissen wir, daß im Zeitalter der Medien in gewisser Weise die Kindheit verlorengegangen ist. Analog dazu haben wir keine Jugend im oben beschriebenen Sinn mehr, aber auch kein Erwachsenenalter als klar definierbares Gegenstück zu Kindheit und Jugend.

Paradoxerweise ist das Verschwinden von Kindheit und Jugend mit einem Jugendkult einhergegangen, der die ganze Gesellschaft ergriffen hat. Bei Faith Popcorn heißt dieses Phänomen „down-ageing“[7]. In einfachen Worten: Man fühlt sich jünger, als man ist. Es ist naheliegend, daß sich mit dem Verschwinden der Kindheit und Jugend eine Nostalgie für eben diese Zeit entwickelt, der der Mythos des Unbeschwert-Seins anhaftet. Dazu kommt, daß wir alle den kollektiven Traum des längeren Lebens, verbunden mit Jugend und Schönheit, zu verwirklichen suchen. Mit Unterstützung durch Medizin, Kosmetikindustrie und Psychologie haben wir erreicht, daß sich 60jährige heute fühlen wie früher Menschen mit 40 Jahren und dies auch zum Ausdruck bringen. Normen und Vorstellungen bezüglich des Erlebens, Denkens und Fühlens in jeweiligen Altersabschnitten stimmen mit der Wirklichkeit nicht mehr überein. Dieser Bewußtseinswandel hängt eng zusammen mit dem Wandel der Werte und hat Einfluß auf alle Bereiche unseres Lebens. Konflikte scheinen demnach heute nicht mehr so sehr zwischen verschiedenen Generationen, sondern zwischen Vertretern unterschiedlicher Werte-Welten aufzubrechen.

„Jugend im Umbruch“ – eine Studie des Österreichischen Instituts für Jugendforschung – versuchte 1994 eine Typologie der Jugendlichen zu erstellen.[8] Die Autoren beschreiben darin sieben Jugendtypen, die sich in ihren Lebensmustern und Werthaltungen unterscheiden. Post-Alternative, die ökologisch interessiert sind und der modernen Technologie kritisch gegenüberstehen, sind ebenso Teil der Jugend Österreichs wie Statusorientierte, die sich an Konsum und hohen Lebensstandard halten. Erlebnis- und aktionsbetonten Jugendlichen, die sich durch Unkonventionalität hervorheben, steht die Gruppe der Traditionsorientierten gegenüber, für die Werte wie Ordnung und Korrektheit wesentlich sind. Anpassung an Normen findet man unter Jugendlichen ebenso wie Individualisierungstendenzen, hohe Akzeptanz staatlicher Institutionen in der einen Gruppe und die gegenteilige Einstellung in einer anderen. Der Wunsch nach einer heilen Welt ist bei Jugendlichen ebenso vertreten wie Skepsis bezüglich der Zukunft. Mit allen diesen Strömungen werden wir uns auseinanderzusetzen haben, denn diese Generation der heute 15- bis 30jährigen, deren Vor-

---

[7] Popcorn, Faith: Clicking. 16 trends to future fit your life, your word, and your business. London 1996

[8] Friesl, Christian, u. a.: Jugend im Umbruch. Neue Formen der Jugendkulturen und der gesellschaftlichen Integration. Wien 1994

stellungen und Lebensstile voneinander divergieren und daher nicht so leicht faßbar sind, werden den Hauptteil der derzeit diskutierten politischen und wirtschaftlichen Veränderungen mittragen. „Österreichs 1,15 Millionen Jugendliche sind in viele Gruppen zerfallen. Was sie verbindet, ist ihr Alter und die Tatsache, daß sie für ihre Eltern die Pension zahlen müssen", schrieb das Nachrichtenmagazin NEWS anläßlich der Präsentation einer Jugendstudie.[9]

Jugend – das ist heute nicht mehr nur der unbeschwerte Transitraum während des Wartens auf das Erwachsenwerden. Jugendliche sind in unserer Zeit nicht nur früher und umfangreicher über alle Lebensbereiche informiert, sondern werden auch sehr direkt mit der Welt und den Problemen der Erwachsenen konfrontiert. Sie kennen alle wunden Punkte und Schwachstellen der Elterngeneration. Sie wissen, daß die sozialwirtschaftlichen Strukturen der Vergangenheit in der Zukunft nicht mehr taugen werden und daß viele Brücken nicht mehr gebaut werden können. Das Thema ist schon längst nicht mehr der Abstand zwischen den Generationen („generation gap"), wie wir ihn bisher interpretiert haben. Es geht um die Verwirklichung neuer Lebensentwürfe, für die wir nur ansatzweise Konzepte haben. Und da sind die älteren Generationen ebenso wie die jüngeren zum Umdenken verpflichtet, denn geeignete Orientierungsmuster für die Zukunft fehlen allen.

Die Tendenz zur Individualisierung ist zwar vor allem, aber nicht mehr ausschließlich ein Merkmal der Jugend. Unsere ganze Gesellschaft ist auf Individualisierung angelegt: Die eigene Persönlichkeit zu entdecken und zum Ausdruck zu bringen, wird im allgemeinen höher bewertet, als den Interessen einer Gemeinschaft zu dienen. Der Vorteil dieser Entwicklung liegt in der Auseinandersetzung mit Themen, die früher tabuisiert waren, aber auch im Bewußtmachen und Bewußtwerden eigener Bedürfnisse, Einstellungen und Ziele. „Die der jugendlichen ‚Reifung' üblicherweise zugedachten Leistungen – als da sind: Steuerung der Körperlichkeit, Spezifizierung der Geschlechterrolle, Verinnerlichung von Werten, Herausbildung sozialer Verantwortung, Einübung von Kooperationsfähigkeit, berufliche Qualifizierung, Entwicklung eines eigenen Lebensplans – bleiben nicht mehr auf eine

[9] NEWS, Heft 9/96

abgegrenzte Jugendphase beschränkt, sie begleiten Menschen ein Leben lang. Die früher mit der Jugend abgeschlossene Phase wird zum Dauerprogramm für Erwachsene."[10]

Der Nachteil dieser Individualisierungstendenz wird dann deutlich, wenn solche Bestrebungen nicht durch ein entsprechendes Verantwortungs- und Gemeinschaftsbewußtsein ausbalanciert werden.

> *Oliver, 19 Jahre, Student*
>
> *Man muß nur sehen, wie viele Menschen solo sind oder wie viele alleinstehende Mütter es gibt, die nicht genügend Geld oder Hilfe bekommen. Hier kommt mir schon vor, daß dieser individuelle Lebensstil einen großen Anteil an Egoismus beinhaltet, der freilich auch notwendig ist, weil die Leute auf sich selber gestellt sind. Früher waren die Menschen vielleicht weniger ich-bezogen, konnten aber ihre Möglichkeiten nicht ausleben...*

Die Gefahren eines überzogenen Individualismus sind historisch längst bekannt. Andererseits ist die Zukunft nur auf der Grundlage von Vielfalt und individueller Ausschöpfung aller persönlichen Möglichkeiten zu bewältigen.

Der Wandel im Wertegefüge unserer Gesellschaft erfolgt schon seit geraumer Zeit nicht mehr linear. Gewisse Einstellungen, Lebensmuster und Werte sind nicht mehr eindeutig an bestimmte Altersgruppen oder soziale Wertmaßstäbe gebunden. So mag es zum Beispiel vorkommen, daß Eltern die Ideale der 68er Jahre vertreten, während ihre Kinder wiederum zu einer rigorosen und an Normen gebundenen Lebenseinstellung tendieren. Der Bogen der Anschauungen ist weit gespannt und reicht von neo-konservativen Haltungen bis zu progressiv-liberalen Forderungen. Dies erklärt auch die Distanzen, die zwischen verschiedenen Segmenten der Jugend aufbrechen. Die Reibungsflächen, die aufgrund der unterschiedlichsten Lebenseinstellungen nun entstehen, sind Ausdruck der Unsicherheit unserer Gesellschaft, die in der zweiten Hälfte dieses Jahrhunderts in materieller und politischer Hinsicht einiges bewegt – und auch erreicht – hat, nun aber neue Perspektiven zur Bewältigung der anstehenden Probleme sucht.

---

[10] Leggewie, a. a. O., S. 58

Wenn nun aber keine Gruppierung „recht“ im absoluten Sinne hat und außerdem viel von der Krise der Demokratie und des Sozialstaates gesprochen wird, muß man sich wohl alten Werten auf eine neue Art und Weise nähern. „Die Zukunft ist komplex“ lautet ein Merksatz von Gerd Gerken: „Das heißt auch, daß es keine (eindeutige) Wahrheit mehr gibt, sondern nur noch (viele verschiedene) Wahrheiten – kurzfristige Wahrheiten, die jeweils nur für den Moment, die jeweilige Situation und die daran Beteiligten gültig sind. Diese Wahrheiten schweben irgendwo in dem weiten Feld zwischen den jeweils möglichen Wertextremen.“[11] Die Haltung vieler Jugendlicher spiegelt diese Fluktuation von Werten und Zielen wider.

Andrea, 22 Jahre, Studentin

Ob es einen Wunschtraum bezüglich meiner Zukunft gibt? Nein, es wird sich alles ergeben, sowohl beruflich als auch privat. Wie ich mein Leben gestalten werde, steht noch offen. Wichtig ist mir, eines Tages genügend Geld zu haben, um davon angenehm leben zu können, nicht in Saus und Braus, aber so, daß ich mich erhalten kann und, wenn nötig, auch ein Kind.

Jugendliche gruppieren sich in der heutigen Zeit nicht mehr nur um den elterlichen oder häuslichen Hintergrund, was sie früher soziologisch erfaßbar gemacht hat. Schichtspezifische Zuordnungen, wie Unterschicht, Mittelschicht, obere Mittelschicht, ländlich oder städtisch, evangelisch oder katholisch, verlieren somit an Erklärungs- und Prognosekraft. Aussagekräftige Gruppen bilden sich selbst in den Ausscheidungsrunden innerhalb von Schule und Freizeit. Schichtung erfolgt sichtbar zwischen denen, die Erfolg haben, und denen, die weniger Erfolg haben. In ein und demselben gesellschaftlichen Prozeß bilden sich durchaus unterschiedliche Gruppen mit solchen, die zu wenig, und solchen, die zuviel Selbstbewußtsein haben. Die Bedeutung von Familie, Verwandtschaft, Nachbarschaft und Herkunftsschicht wird damit gleichzeitig relativiert.

---

[11] Gerken/Konitzer, a. a. O., S. 11

Julian, 18 Jahre, Maturant

Im Leben etwas zu leisten bzw. anerkannt zu sein, hat heutzutage einen höheren Stellenwert eingenommen, als für die Gesellschaft oder einfach für andere da zu sein.

Deutlicher kann die Sichtweise der jungen Generation nicht ausgedrückt werden. Eine Generation, die im materiellen Wohlstand und politischer Stabilität aufgewachsen ist und die nicht gelernt hat, sich für übergeordnete Ziele einzusetzen, tut sich schwerer, über den engen Horizont der persönlichen Zukunft hinauszublicken. Die großen ökologischen Probleme stellen sich für viele als so überwältigend dar, daß es aussieht, als könnte man sie gar nicht mehr meistern. Es ist selbstverständlich und auch wichtig, daß der Prozeß der Individualisierung junge Menschen veranlaßt, eigene Bedürfnisse großzuschreiben und aus möglichst vielen Lebensentwürfen auszuwählen. Dies als Rückschritt in der Entwicklung unserer Gesellschaft zu sehen, wäre nicht richtig. Wahlmöglichkeit hat aber auch mit Verantwortung zu tun, was bedeutet, daß die Folgen des Handelns für die Gesellschaft in Rechnung gestellt werden müssen. Leider hat sich der im Grund positive Wunsch nach Selbstentfaltung und Individualität vielfach in einen pragmatischen Individualismus verkehrt, der nicht mehr nur ein jugendtypisches Phänomen ist. Daß letztlich jede Gesellschaft ihren Mitgliedern Pflichten abverlangt, scheint für viele nicht mehr akzeptabel zu sein. Man ist in erster Linie sein eigenes Ego, für das man auch primär verantwortlich ist. Aus diesem Gesellschaftstrend hat Faith Popcorn die Bewegung der „Egonomics" entwickelt – gewissermaßen die Hochblüte des Individualismus: „There is no one out there quite like me."[12]

Aus dieser Darstellung wird eine Problemstellung deutlich, die wir in unserer Gesellschaft jetzt schon spüren und die unsere Zukunft wohl noch mehr beeinträchtigen wird, denn „wenn sich alle selbst verwirklichen, kann sich keiner auf den anderen verlassen."[13] Aus vielen Gesprächen mit Jugendlichen ist auch mir deutlich geworden, daß das Vertrauen in andere Menschen immer brüchiger wird. Dies ist nur eine

[12] Popcorn, a. a. O., S. 145

[13] Heinzelmaier, Bernhard: Jugend in Österreich: Die Generation der Widersprüche. In: Jugendreport 1/92, S. 30-33

der Konsequenzen, wenn Selbstverwirklichung auf Kosten anderer erfolgt. Hier eine Balance zwischen der eigenen Entfaltung und den Interessen der Mitmenschen zu finden, wird eine der Hauptaufgaben der Zukunft sein, denn der Individualisierungsprozeß darf auf weitere Sicht nicht entsolidarisierend gegenüber der Gesellschaft wirken. Handfest und offensichtlich wird diese Problematik etwa im Bereich der Altersversorgung.

Eine der Fragen, die zur Zeit Politiker, Sozialwissenschafter, Unternehmer und Arbeitende in der Europäischen Union am stärksten beschäftigt, lautet: Wer wird in näherer Zukunft die Pensionen finanzieren? Schon heute zahlen im Schnitt 2,7 Arbeitende den Ruhegenuß für einen Pensionisten. Wenn wir einen Pensionskollaps verhindern wollen, müssen wir bis zum Jahr 2025 das allgemeine Pensionsalter um fünf bis sechs Jahre erhöhen. Dies ruft zum einen Widerstände bei den älteren Arbeitnehmern hervor, und kann zum andern auch nicht das Patentrezept sein, wenn auf dem Arbeitsmarkt nicht genügend Stellenangebote vorhanden sind.

Der Generationenvertrag beruht auf dem Grundkonsens der wirtschaftlichen Solidarität: Durch die eingezahlten Pensionsbeiträge der jeweils Erwerbstätigen werden die Pensionen der jeweiligen Ruheständler finanziert. Dieses Modell setzt natürlich eine bestimmte Relation von Einzahlern zu Empfängern voraus. Aufgrund der Altersverschiebungen und der wirtschaftlichen Veränderungen fallen aber die Bedingungen für diese Art des Generationenvertrages weg. Die Schere öffnet sich immer weiter: einerseits werden die Pensionen von einer steigenden Anzahl von Personen beansprucht, andererseits droht den jüngeren Arbeitnehmern die Arbeit auszugehen. „Unser Sozialsystem entwickelt sich zur Generationenfalle“, schreibt daher die Anwältin für den neuen Generationenvertrag, Heidi Schüller, die in ihrem Buch „Die Alterslüge“ allerdings auch keine praktikablenVorschläge anbietet. Man kann ihr aber zustimmen: „Wenn wir ein Alter in Würde und unter normalen Bedingungen erleben wollen, dannn müssen wir heute – nicht irgendwann – die richtigen Weichen dafür stellen. Als Individuen und als Gemeinschaft. Mit neuen Prioritäten, neuen Begriffen, neuen Strukturen.“[14] Gerade diese Entwicklung sollten auch junge

[14] Schüller, Heidi: Die Alterslüge. Für einen neuen Generationenvertrag, Berin 1995, S. 18

Menschen beachten, da sie in diesen Umdenkprozeß eingebunden sind. Es geht bei der Frage nach der Zukunft um viel mehr als nur um einen materiellen Verteilungskampf. Der neue Generationenvertrag kann nicht länger auf der Basis der wirtschaftlichen Grundlage ausgehandelt werden, sondern bedarf des Bewußtseins einer neuen sozialen Solidarität. Dazu brauchen wir ältere Menschen, die nicht nur ihren Beitrag einfordern, sondern auch bereit sind, ihre Zeit und ihre Erfahrung den Jüngeren zur Verfügung zu stellen.

Da es sich bei der Gestaltung des neuen Verhältnisses zwischen Jung und Alt nicht nur um ein ökonomisches, sondern vor allem um ein politisch-psychologisches Problem handelt, ergeht die Aufforderung, über die Gestaltung der Zukunft nachzudenken, besonders an die Jugend. Es wäre wichtig, hier sehr konkret spezifische Projektgruppen oder Netzwerke zu entwickeln, um die Neuverteilung von Zeit und Arbeit zu diskutieren. Es ist nicht einzusehen, warum junge Paare gerade zur Zeit ihrer Existenzgründung so oft keine geeignete Betreuung für ihre Kinder finden, während in derselben Gesellschaft Menschen leben, die zuviel an Zeit zur Verfügung haben und Wege suchen, ihren Pensionsalltag sinnvoll zu gestalten. Vor kurzer Zeit ist auch Österreich der europaweiten Arbeitsgemeinschaft für die Erhaltung der Lebensqualität der älteren Menschen, genannt EURAG, beigetreten. Ziel dieser Vereinigung ist nicht nur, Serviceleistungen für ältere Menschen anzubieten, sondern in der Öffentlichkeit Bewußtseinsbildung zu schaffen und die Solidarität zwischen den Generationen zu fördern. In seiner Ansprache anläßlich des Empfangs für EURAG sagte Bundespräsident Dr. Thomas Klestil: „Die Frage, welcher Wert eigentlich den alten Menschen in der Gesellschaft zukommt, steht ganz aktuell auf der Tagesordnung. Aus der älteren Generation als einer verdrängten und oft auch verschreckten Minderheit wird ein nicht mehr zu ignorierender Faktor, der vehement seine Reintegration in alle Bereiche unseres Lebens fordert. Und ich bin fest davon überzeugt, daß sich die Zeit des großen Jugend-Mythos und des weitgehenden Kaltstellens der älteren Generation ihrem Ende zuneigt... Ich sage es, weil es einfach unverantwortlich ist – unverantwortlich gegenüber den Betroffenen und gegenüber der Gesellschaft –, wenn wir dieses große, heute vielfach unausgeschöpfte kreative, soziale und menschliche Potential der älteren Menschen nicht rasch wiederentdecken und für die Allgemeinheit zu nutzen verstehen." Es wäre nun unser aller Aufgabe, darüber nachzudenken, wie dieser Austausch an Potentialen zwischen Jüngeren und

Älteren wirklich funktionieren könnte. Erste Ansätze auf europäischer Ebene gibt es zwar, doch müßten auch wir in Österreich größere Anstrengungen unternehmen, um Modelle für eine neue Kooperation zwischen verschiedenen Segmenten der Gesellschaft zu entwickeln.

Wir können davon ausgehen, daß der Eigenverantwortung und der Eigenvorsorge in der Zukunft eine zentrale Rolle im Sozialgefüge zukommen werden. Hierbei könnten Bestrebungen nach Individualisierung, Freiheit und Eigenständigkeit insofern hilfreich sein, als sie unter anderem auch die Mündigkeit der Jugendlichen fördern. Nachteilig wirken sich diese Zielsetzungen aus, wenn ausschließlich das eigene Wohl und die eigene Sicherheit im Mittelpunkt des eigenen Denkens stehen. Denn, und auch das wissen wir bereits, eine Gesellschaft, deren Wertegefüge und Sozialsystem im Umbruch ist, wird auf den Aufbau neuer gemeinschaftlicher Strukturen und die Schließung neuer gemeinsamer Verträge nicht verzichten können. Gerade diese Entwicklung sollten jüngere Menschen beachten: Mehr Freiheit bedeutet immer auch mehr Verantwortung! Die Selbstorganisation mag schwierig sein, besonders wenn verbindliche Orientierungspunkte und Identitätsmuster fehlen. Der Anspruch: „Ich wünsche mir, daß mir jemand sagt, was ich machen soll...“ ist zwar kennzeichnend für die Suche, auf der sich viele Jugendliche befinden, wird aber in der Zukunft nicht mehr eingelöst werden.

Die Organisation des eigenen Lebens ist der Preis, der für die Individualisierung zu zahlen ist. Individualisierung und Verantwortung sind dann aber auch keine Gegensätze mehr: wie Ulrich Wickert einmal bemerkte, leitet sich aus der Würde des Menschen vieles ab, nicht nur die wechselseitige Achtung des Lebens, der Unverletzlichkeit und der Freiheit. In der Würde steckt auch die individuelle Identität. Die Würde des einzelnen wird in einer Welt, in der es sehr eng zu werden scheint, wieder ein zentrales Kriterium bei vielen persönlichen und politischen Entscheidungen sein müssen. Es ist zu hoffen, daß die jüngeren Generationen im Prozeß der Individualisierung tolerant genug sein werden, um individuelle Bedürfnisse auch ihrer Mitmenschen wahrzunehmen und auf die Veränderungen in der Gesellschaft reagieren können.

Die allgemeine Larmoyanz in der Diskussion um aktuelle Trends wird niemandem weiterhelfen. Dem sollte man die optimistische Auffassung gegenüberstellen, daß die geistigen und intellektuellen Potentiale der Jugend der 90er Jahre in Zukunft auch gebraucht werden. Es wäre ein voreiliges Urteil, wollte man nur den Autismus oder Narzißmus einer Generation sehen, die – in relativem Wohlstand aufgewachsen – mehr Energie und Zeit aufbringen konnte, sich mit den eigenen Bedürfnissen und Befindlichkeiten auseinanderzusetzen. Diese Kultur der vielgeschmähten Innenschau, wie sie die 80er und 90er Jahre kennzeichnet, kann die Basis für eine neue Solidarität mit der Gesellschaft werden. Es gibt Anzeichen, daß die Jugend bereits mitten in dieser Trendwende steht. Es gehört zum Grundwissen der Psychologie, daß sich nur über ein stabiles *Ich* ein verläßliches *Wir* bilden kann, daß ohne Individualbewußtsein nur ein schwaches Gruppenbewußtsein entstehen wird. Statt die Menschen zwischen neuen und alten Werten zu polarisieren, sollten wir einsehen, daß verschiedene Gesellschaften und Generationen zu verschiedenen Zeiten die ihnen gemäßen und lebensnotwendigen Möglichkeiten und Fähigkeiten entwickeln, um die nächste Stufe der gesellschaftlichen Entwicklung vorzubereiten.

Wichtig wäre es, gerade heute die Kommunikation zwischen älteren und jüngeren Menschen zu fördern, da die Umstrukturierungsprobleme – neue Verteilung von Arbeit, Freizeit und menschlichen Ressourcen – alle betreffen werden. Ich weiß, es klingt wie eine hohle Phrase: „Kommunikation zwischen Älteren und Jüngeren fördern." Aber wie? wird man fragen. Wie und wo und wann? Ich habe dieses Buch nicht als Rezeptbuch geschrieben. Ich glaube nicht, daß ältere Menschen den jungen fertige Modelle vorsetzen sollen – auch nicht Modelle für den Dialog. Solche zu entwickeln, ist uns allen gemeinsam aufgetragen. Aus dieser Verantwortung können und dürfen wir uns nicht entlassen.

NEUE BERUFSANFORDERUNGEN UND DAS ENDE DER HERKÖMMLICHEN ARBEIT

Ich möchte Unsterblichkeit nicht durch
meine Arbeit erlangen,
sondern dadurch,
daß ich nicht sterbe.

Woody Allen

Die Welt ist rund um uns voll von zu leistender Arbeit. Aber die Arbeitslosigkeit nimmt immer mehr zu. Hat Sie dieser offenkundige Widerspruch auch schon nachdenklich gemacht? Mich irritiert er sehr.

Arbeit, sagen die Theologen, ist ein Mitwirken an der Vollendung des Schöpfungswerkes. Tatsächlich erleben viele Menschen die Arbeitslosigkeit als tiefe Sinnkrise. Aber wie kommen wir dem Übel Arbeitslosigkeit bei? Wohin ich schaue, erlebe ich Debatten um Arbeitsbeschaffungsprogramme – und Frustration angesichts ihrer Erfolglosigkeit. Allmählich dämmert immer mehr Menschen die Erkenntnis: Wir werden gründlich umdenken müssen! Arbeit wird nicht mehr sein, was sie uns bisher gewesen ist!

Ende der 60er Jahre führten die anhaltende Konjunktur und der gleichzeitige Bevölkerungsrückgang zu einer verstärkten Nachfrage nach Arbeitskräften, die durch die Aufnahme von ausländischen Arbeitnehmern abgedeckt wurde. Niemand hätte damals prognostiziert, daß nur drei Jahrzehnte später nicht mehr genügend Arbeitsplätze vorhanden sein werden.

Die sozialwirtschaftlichen Fakten des Jahres 1995 ließen aufhorchen: rapides Ansteigen des Arbeitslosenanteils, über 1500 angemeldete Insolvenzen, deutliche Einbußen in der Bau- und Tourismusbranche. Sind, so könnte man fragen, die österreichischen Unternehmen der Konkurrenz aus den Reformländern und Mitgliedstaaten der Europäischen Union nach Ostöffnung und EU-Beitritt nicht mehr gewachsen? Die derzeitige Arbeitsmarktsituation Österreichs nur aus diesem Blickwinkel zu beurteilen, wäre verfehlt. Auch in anderen Industriestaaten ist die herkömmliche Wirtschaftspolitik – und mit ihr die Arbeitswelt – in die Krise geraten. Wir haben es hier mit globalen Trends und einem grundlegenden Strukturwandel zu tun, der sich nicht auf Österreich beschränkt. Es wird aber darauf ankommen, die Vorzeichen der zukünftigen Entwicklungen richtig zu deuten und sich rechtzeitig darauf vorzubereiten. Das Hoffen auf das nächste Wirtschaftswachstum wird nicht mehr genügen. Die Fragen, die uns derzeit beschäftigen, lauten: Welche Auswirkungen haben die aktuellen Trends auf den Arbeitsmarkt von morgen? Und: welchen Stellenwert oder Gültigkeitsgrad haben Prognosen in einer immer rascher sich wandelnden Arbeitswelt?

Die Situation auf dem Arbeitsmarkt, die wir heute in den meisten Industriestaaten vorfinden, ist von einem starken Ungleichgewicht gekennzeichnet: während die einen zuviel arbeiten, arbeiten andere zu wenig oder sind unbeschäftigt. Die Nachfrage nach Streßbewältigungs- und Zeitmanagementseminaren steigt, ebenso aber auch die Arbeitslosenquote. Ursachen für ein Defizit an Arbeitskräften bei gleichzeitig steigenden Arbeitslosenzahlen mögen in den demografischen Entwicklungen, in den politischen Veränderungen in Europa oder auch in den Ausbildungssystemen liegen. Oft klaffen die seitens der Betriebe gewünschten Anforderungen und die Qualifikationen der Arbeitsplatzsuchenden weit auseinander. Auch der spezifische Personalbedarf der Kleinbetriebe wird häufig nicht genügend beachtet. Die Zunahme von sogenannten schwer vermittelbaren Personen ist ein im Europa des Wohlstandes allgemein verbreitetes Phänomen. Wir müssen hier in der Weiterbildung und in der Persönlichkeitsausbildung der Arbeitsplatzsuchenden vermehrt Akzente setzen.

Die mit Abstand höchste Arbeitslosenquote wurde im Jahr 1994 in Österreich bei jenen registriert, die keine die Pflichtschule übersteigende Qualifikation aufzuweisen haben: über elf Prozent! Dagegen waren nur rund sechs Prozent Absolventen einer Lehre, um die drei Prozent Maturanten und knapp zweieinhalb Prozent der fertigen Akademiker ohne Arbeitsplatz.

Alle Studien über Arbeitsmarktprozesse stimmen darin überein, daß Arbeitskräfte, die keine qualitativ entsprechende Berufsausbildung absolviert haben, bei Personalproblemen in der Wirtschaft als erste abgebaut werden.

Es ist unbestritten, daß eine fundierte Ausbildung die Chancen für beruflichen Ein- und Umstieg erhöht. Doch Abschlüsse und Diplome allein sind kein Garant für eine sichere Stellung.

Fallbeispiel:

Hannes, 28 Jahre, Mag. phil

Absovent der Studienrichtungen Geschichte und Germanistik. Seine Erwartungen auf eine Anstellung als Lehrer in einer AHS in Wien blieben unerfüllt. Er entschloß sich daher zum weiterführenden Doktoratsstudium in Geschichte. Berufsaussichten ungewiß.

Fallbeispiel:

Renate, 25 Jahre

Abgeschlossene Handelsakademie. Alleinerzieherin, 1 Kind. Sie war Sachbearbeiterin einer in Konkurs gegangenen Import-Exportfirma und sucht seit Monaten eine Teilzeitarbeit.

Die Qualifikationen von Stellensuchenden und die Bedürfnisse des Arbeitsmarktes gehen oft weit auseinander. Es ist sicher schwierig, in der sich heute ständig wandelnden Arbeitswelt über zukünftige Beschäftigungschancen und -risken zu informieren, um gegen Fehlqualifikationen vorzusorgen. Trotzdem wissen Maturanten im allgemeinen zuwenig, um Hinweise auf Berufsmöglichkeiten richtig deuten zu können, wie schrumpfende oder wachsende Wirtschaftszweige und Dienstleistungsbereiche, regionale Nachfrage oder zukünftige neue Berufsbilder. Zwar ist bekannt, daß Absolventen einiger Studienrichtungen, wie z. B. der Geistes- und Sozialwissenschaften, auf dem Arbeitsmarkt schwer zu vermitteln sind. Trotzdem wäre es falsch, Maturanten vom Studium dieser Studienzweige generell abzuraten. Ein ausschließlich nach den Bedürfnissen der Wirtschaft geregelter Studienzugang wäre eine verfehlte Bildungspolitik. Wichtiger als Reglementierungen sind geistige Flexibilität und die Bereitschaft zur ständigen Neuorientierung. Wir müssen den Anspruch aufgeben, daß ein bestimmter Ausbildungsweg automatisch mit einem bestimmten Berufsziel verbunden ist. Wir brauchen auf viele Jahre hinaus keine Lehrer der Geschichte und Germanistik, aber wir brauchen auch weiterhin Absolventen der Geschichte und der Germanistik. Dies ist eine Frage der geistigen Kultur, die nicht losgelöst werden kann von der Entwicklung zukünftiger Berufsfelder.

Um künftiges Ungleichgewicht auf dem Arbeitsmarkt zu vermeiden, müssen aber auch die Berufs- und Studienberatungen verbessert und intensiviert werden. Zusätzlich wäre es erforderlich, berufsbildende Inhalte in die Lehrpläne aufzunehmen. Einen Unterrichtsgegenstand „Berufskunde" gibt es zur Zeit nur im Polytechnischen Lehrgang. Die Integration von Berufsorientierungselementen in die formalen Lehrpläne aller Bildungseinrichtungen wird in Zukunft unerläßlich sein. Sie müßte schon sehr früh ansetzen und fächerübergreifend bis in die Hochschulausbildung angeboten werden, um den wirtschaftlichen und technologischen Veränderungen Rechnung zu tragen. Die alleinerziehende Mutter, die eine Teilzeitbeschäftigung sucht, scheitert (noch) an der starren Struktur unserer Arbeitswelt. Gewerkschaften sind bekanntlich gegenüber flexiblen Arbeitszeitregelungen noch immer nicht offen. Daß mehrere Personen sich einen Arbeitsplatz teilen, Job-Sharing, ist für viele Arbeitgeber und auch Arbeitnehmer nicht vorstellbar. Mit starren Einstellungen werden wir aber die Probleme am Arbeitsmarkt nicht bewältigen können. Gerade für berufstätige Mütter, aber auch Väter, die ihre Verantwortung als Erzieher ernst nehmen wollen, ist ein Umdenken unvermeidbar. Die Diskussion um die mangelnden Kindergartenplätze kennen wir alle aus dem politischen Alltag. Die telematische Ökonomie hat in manchen Bereichen die Widerstände schon längst unterwandert. Zweifel gibt es diesbezüglich keine mehr: Die Telearbeit wird kommen – mit allen ihren positiven und negativen Auswirkungen.

Die gesamte Trendforschung beschäftigt sich mit der Halbwertszeit von Information und Ausbildung und der notwendigen Neustrukturierung unseres Arbeitslebens in der Zukunft. Doch die Warnung vor aufziehenden Gefahren sollte immer mit dem Versuch verbunden sein, ein Bewußtsein für notwendiges Handeln zu erzeugen, denn lange schon ist nicht mehr gewährleistet, daß wir ein ganzes Arbeitsleben lang im einmal gelernten Beruf beschäftigt bleiben. Die Gründe für diesen Wandel sind vielfältig: sie beginnen bei demografischen Veränderungen und enden beim Vordringen der Mikroelektronik in alle Lebensbereiche. Neue Märkte entstehen, alte stagnieren oder verschwinden, neuartige Dienstleistungen werden notwendig. Das gesamte Wirtschaftsgefüge und mit ihm unsere Gesellschaft werden in komplexer und kaum durchschaubarer Weise einem tiefgreifenden Strukturwandel unterworfen. Diese Entwicklung findet schon seit etwa zwei Jahrzehnten statt. Doch erst jetzt macht sich allgemeine Unsicherheit bemerkbar. Teleworking, virtueller Arbeitsplatz, High-Trust, Family-Konzept, Interfusion: nicht jeder ist in der neuen Begriffswelt der Arbeit zu Hause.

„Hegelianisch dunkle Formulierungen und das postmoderne Trendgemunkel in nebulöser Sprache nützen im Alltag wenig."[1] Mit dieser Feststellung beschließt Holger Rust seine kritische Abrechnung mit den Gurus der Trendforschung wie John Naisbitt, Faith Popcorn, Gerd Gerken und anderen, deren Virtuosität seiner Ansicht nach allein darin besteht, „semantische Schaumbäder" zu produzieren und Selbstverständlichkeiten zu neuen Entdeckungen hochzustilisieren. Doch so selbstverständlich verläuft die zukünftige Entwicklung am Arbeitsmarkt sicherlich nicht. Wer sich heute als Absolvent einer Allgemeinbildenden Höheren Schule über seine Berufswahl Gedanken macht oder aus einem erlernten Beruf in einen anderen umsteigen will, wird sich – nach Ostöffnung und EU-Beitritt – trotzdem mit den Ergebnissen der Trendforschung auseinandersetzen müssen. Jungen Menschen, die am Ende ihrer Ausbildungszeit Weichen für ihren beruflichen Werdegang stellen wollen, ist heute weder mit einem „How to succeed"-Beitrag aus der Dale Carnegie-Literatur gedient, noch weniger aber mit schwarzmalenden Visionen. Was sie brauchen und sich zurecht erwarten, sind profunde Informationen über gegenwärtige Entwicklungen in der Wirtschaft und im Dienstleistungsbereich und – wenn möglich – konkrete Handlungsanleitungen.

Michael, 17 Jahre, HTL

Ich finde es sehr wichtig, einen guten Schulabschluß zu haben, denn es wird sogar mit guter Ausbildung schwer, einen sicheren Arbeitsplatz zu bekommen. Ich will nicht nur einen Job haben, der Geld einbringt, sondern eine Arbeit, die mir gefällt.

---

[1] Rust, Holger: Trends. Das Geschäft mit der Zukunft, Wien 1995, S. 158

Unter marktpolitischen Aspekten ist Wissen kurzlebig und mitunter auch der Mode unterworfen. Außerdem verändert es sich immer mehr zur Nachschlaginformation. Das übergroße Angebot an Informationsfragmenten, der „overchoice“ sozusagen, um ein Trendvokabel zu verwenden, verunsichert die Arbeitsplatzsuchenden. Das Mehr an Information wird durch den sinkenden Gebrauchswert aufgehoben. Sinnvoll ist es daher, sich auf die Prognosen zu beziehen, die als Diagnose der Zukunft die Ungewißheit reduzieren helfen. Dazu bedarf es der Kenntnis einiger Daten und Zahlen, die das Schlimmste verhüten– nämlich einen Beruf zu wählen, für den es keine Arbeitsplatzaussichten gibt – und das Beste ermöglichen sollen – nämlich im gewählten Beruf mit anderen etwas zu tun und zu produzieren, woran man Spaß hat. Das aber kann nur, wer bei seiner Entscheidung nicht ausschließlich von den eigenen Interessen und Fähigkeiten ausgeht, sondern auch die aktuellen Tendenzen in bezug auf Arbeitsmarkt, Ausbildung und Schulsystem in Österreich, aber auch im Europa von morgen berücksichtigt. Nichts ist schwieriger, denn oft sind die Ergebnisse der klassischen Marktforschung schon überholt, während der Computer noch die Daten erfaßt.

Die Geschwindigkeit der Produktinnovationen, die technologischen Veränderungen, die mit der digitalen Revolution eingeleitet wurden, verlangen ständig neue Qualifikationen. Schüler aller Schultypen haben ein legitimes Interesse an einer Ausbildung, die deren Fähigkeiten und Talente allseitig entfaltet und dabei auch die geänderten Bedingungen in der Arbeitswelt berücksichtigt.

Alle werden möglichst breitangelegte Erstqualifikationen brauchen, auf denen eine profunde Weiterbildung aufbauen kann. Wir wissen schließlich, wohin Fehler in der mangelnden oder falschen Aufklärung von Maturanten und in einer von der Realität abgehobenen Ausbildung führen können: Derzeit sind in Österreich 6000 (!) Lehrer arbeitslos. Man kann nun argumentieren, daß die schlechten Berufsaussichten für Lehramtsabsolventen schon seit Jahren prognostiziert wurden, während in anderen Bereichen die Engpässe am Arbeitsmarkt überraschender auftreten. Aber, wenn wir schon sehr langsam bis überhaupt nicht auf absehbare Entwicklungen reagieren, wie werden wir dann in Zukunft mit Veränderungen der Arbeitswelt fertig werden? Flexibilität und Umdenken sollen keine medialen Schlagworte sein, sondern selbstverständliche Fähigkeiten werden. Um bei dem oben genannten

Beispiel zu bleiben: Wer sich heute zu einem Lehramtsstudium entschließt, muß sich von der festen Erwartung, eines Tages in einer Schule das gewählte Fach zu unterrichten, verabschieden. Das muß nicht unbedingt heißen, daß man aus rein rationalen Beweggründen ein weniger geliebtes Studiengebiet wählt, in dem man dann auch nicht erfolgreich ist, weil es so wenig den eigenen Bedürfnissen und Interessen entgegenkommt. Es wäre aber wichtig, sich zusätzliche Qualifikationen anzueignen, um das einmal entsprechend den Neigungen ausgesuchte Fach mit einem chancenreicheren Arbeitsumfeld verbinden zu können.

Kaum eine Politik – die Wirtschaftspolitik ausgenommen – steht so sehr wie die Bildungspolitik unter dem Zwang, die Anforderungen der von uns gewünschten Zukunft über längere Zeit vorauszusehen, um darauf durch Wissensvermittlung vorzubereiten. Neben der Sanierung des Gesundheitssystems scheint keine Reform so dringlich wie die des Bildungs- und des Ausbildungswesens. Doch kaum sind die Lehrpläne der berufs- und allgemeinbildenden Institutionen umgeschrieben, die Lernziele, Lerninhalte und Lernverfahren revidiert, sind sie schon wieder Schnee von gestern. Die Halbwertszeit der Ausbildung erfordert Stärkung bedürfnisorientierter Weiterbildung – jedoch nicht ohne unser kulturelles Fundament. Gefordert ist aber auch eine engere Zusammenarbeit zwischen Schule bzw. Universität und Wirtschaft.

Der Graben zwischen Universität und Arbeitswelt ist noch sehr breit, die soziale und mentale Distanz der Universitäten zur Wirtschaft und zum sogenannten außeruniversitären Bereich sehr groß. Die Neugründung von Fachhochschulen (FHS), die für die Wirtschaft maßgeschneiderte Hochschullehrgänge anbieten, wie auch die Palette von praxisorientierten Post-Graduate-Programmen, wie sie etwa an der Donau-Universität Krems installiert werden, oder Universitäten, die enger mit der Wirtschaft zusammenarbeiten, sind positive Zeichen, da sie eine bestmögliche Abstimmung nachgefragter Qualifikationen auf das Arbeitsplatzangebot versprechen. Reformen im Berufsbildungssystem und arbeitsmarktpolitische Maßnahmen müssen synchronisiert werden, damit sich unsere Betriebe in der internationalen Konkurrenz behaupten können. Lernen als lebenslanger, wenn möglich als lustvoll empfundener Prozeß wird unabdingbar. Nur so kann die fehlende Mobilität – ein österreichspezifisches Phänomen – in beiden Bereichen kompensiert werden.

Wie einmal ein Vertreter des Österreichischen Instituts für Bildungsforschung (ÖIBF) bemerkte, warten erfahrene Propheten die Ereignisse ab. Die für das Jahr 2000 von einer ÖIBF-Studie vorhergesagten Strukturverschiebungen in der Entwicklung der Erwerbstätigenzahlen müssen daher heute vor dem Hintergrund des nicht vorhersehbar gewesenen Sturzes kommunistischer Diktaturen in den ehemaligen Ostblockländern sowie des Zerfalls Ex-Jugoslawiens gründlich revidiert werden. Die im Gefolge der politischen Veränderungen bis heute anhaltende Migrationswelle hat nicht nur eine ethnische Segmentierung des Arbeitsmarktes verursacht, sondern den aufgrund geburtenschwacher Jahrgänge in Aussicht gestellten Rückgang der Anzahl jüngerer Erwerbstätiger (33% bis zum Jahr 2000) beinahe aufgehoben.

Beschäftigtenveränderungen in bekannten Branchen sind bis zu einem gewissen Grad beobachtbar, analysierbar und daher nachvollziehbar. Schwieriger wird es, Vorstellungen und Annahmen bezüglich des globaleren Strukturwandels der Wirtschaft zu formulieren. Über tatsächliche zukünftige Berufsbilder und neue Dienstleistungsangebote wissen wir noch relativ wenig.

Arbeits- und Wirtschaftsexperten in Europa stimmen darin überein, daß eine qualitativ hochwertige Ausbildung immer wichtiger werden wird. Man könnte meinen, daß in Österreich nun ohnehin eine stetige Akademisierung der Beschäftigung stattgefunden hat. Doch der internationale Vergleich von Quoten der Akademikerbeschäftigung an der gesamten Erwerbstätigkeit – so fragwürdig ihr Zustandekommen wegen der unterschiedlichen Paramter auch ist – macht z. B. deutlich, daß gegenüber Ländern mit fortgeschrittener Hochschulentwicklung in Österreich noch ein erhebliches Potential an Akademisierung der Beschäftigung besteht. So betrug der Akademikeranteil an der Gesamtzahl der 1993 statistisch erfaßten Erwerbstätigen (3,721.600) in Österreich 7,6%.[2] Vergleichen wir ihn mit einer ÖSTAT-Erhebung, welche die 30jährige Wohnbevölkerung nach formaler Bildung laut Volkszählung 1991 erfaßt, ergibt sie das gleiche Bild. Von 20% eines Altersjahrganges, die ein Hochschulstudium beginnen, hält nur rund die Hälfte durch und erreicht einen Abschluß. Auf keinen Fall sollten diese Forschungsergebnisse einfach hingenommen und das Problem

[2] ÖSTAT/Heft 1143

der Drop-outs mit Ländervergleichen relativiert und damit bagatellisiert werden.

Der Besuch von Schulen, die eine Hochschulreife vermitteln, steigt zwar deutlich, vor allem in städtischen Ballungszentren in der berechtigten Erwartung, daß die Beschäftigungschancen steigen, indem man höhere Bildungsqualifikationen erwirbt. Eine Rechnung, die nicht immer aufgeht, wie die Drop-out-Quote sogenannter Schulversager, aber auch die Arbeitslosenrate bei Akademikern beweist. Auch und gerade für Absolventen universitärer Einrichtungen ist es daher von großer Bedeutung, die regionalen Arbeitsmarkttrends für das Jahr 2000 zu analysieren, aber gleichzeitig die Arbeitskräftewanderungen im europäischen Binnenmarkt nicht aus den Augen zu verlieren. Denn trotz steigender Arbeitslosenzahlen spricht nichts gegen die Erwartung, daß eine Hochschulbildung nach dem Fall des Eisernen Vorhangs und dem Beitritt Österreichs in die Europäische Union – beides durchaus Ereignisse, die eine Zeitenwende markieren – auch in Zukunft besser gegen die Risken der Arbeitsmarktentwicklung absichert.

Mit Inkrafttreten des EWR wurden die rechtlichen Rahmenbedingungen des freien Personenverkehrs für Bürger von Mitgliedstaaten in Österreich, aber auch für Österreicher und Österreicherinnen voll wirksam. Als Folge von Automatisierung, Spezialisierung und Zunahme des internationalen Wettbewerbes steigt die Bedeutung der Qualifikation. Und somit wird Berufsbildung auch wesentlich für Innovation und zu einem bedeutsamen Standortfaktor. Nicht nur neue Berufsfelder oder um neue Qualifikationen erweiterte Berufe versprechen neue Arbeitsplätze für umschulungsbereite Facharbeiter, Fachschulabsolventen und Akademiker, sondern vor allem die Anerkennung von Bildungsabschlüssen und Berufsbefähigungsnachweisen zwischen den Mitgliedstaaten der EU. Derzeit werden im europäischen Binnenmarkt nur die Abschlüsse von Berufsbildenden Höheren Schulen (BHS) anerkannt. Ob die neuen Möglichkeiten auch genutzt werden, hängt allerdings nicht nur von der geographischen Mobilität, sondern auch von den Sprachkenntnissen und nicht zuletzt davon ab, ob Informationen über Arbeitsmöglichkeiten und Arbeitsbedingungen vorhanden sind. Trotzdem kann davon ausgegangen werden, daß Binnenmarktwanderungen aufgrund der Internationalisierung der Unternehmen und des stärkeren Wettbewerbs um gut ausgebildete Arbeitskräfte künftig stärker stattfinden werden.

Die Möglichkeit eines befristeten Austauschs im Bildungsbereich, der durch EU-Programme gefördert wird, wurde von vielen akademisch gebildeten Lehrern schon vor dem EU-Beitritt in Anspruch genommen. Eine Ausweitung solcher Programme, wie sie durch „Sokrates" und „Leonardo" bis 2000 geplant sind, ist nur zu befürworten, da sie die Integrationsbestrebungen bzw. den Status der Unionsbürgerschaft festigen und den Abbau von Vorurteilen beschleunigen helfen. Dazu kommt, daß Anreize geschaffen werden, sich intensiver um Fremdsprachenkenntnisse oder um Förderung der Sprachen der Gemeinschaft zu bemühen. Geplant ist nicht nur eine Zusammenarbeit der Bildungseinrichtungen aller Stufen in den Mitgliedstaaten, sondern vor allem die Nutzung der Informations- und Kommunikationstechnologien im gesamten Bildungsbereich. Auch die Pendelwanderungen in den sogenannten „Euroregionen" (Grenzregionen) werden sicherlich zunehmen.

Auf eines aber muß der angehende Akademiker in Zukunft gefaßt sein: Die Nachfrage nach Akademikern wird in einigen Sparten sicher geringer sein als das Angebot. Akademisierung der Beschäftigung bedeutet unter anderem, daß Hochschulabsolventen Berufe ergreifen werden müssen, die bislang mit einer geringeren formalen Bildungsqualifikation ausgeübt wurden. Nach Berechnungen vom August 1995 sind 50% der Universitätsabsolventen auf Arbeitsplätze im öffentlichen Sektor – also in Bereiche wie Bildung, Kultur, Soziales und in Verwaltungsfunktionen – geströmt, um ihre im Studium erworbenen Qualifikationen angemessen umsetzen zu können.

Die Stellenangebote werden im Dienstleistungsbereich in den folgenden Jahren schon aufgrund des budgetären Defizits und im Sinn der zu erfüllenden Maastrichtauflagen eher zurückgehen. Bereiche wie Touristik und Femdenverkehr schrumpfen, aber auch Banken, Post und öffentliche Ämter mit Publikumsverkehr benötigen weitaus weniger Personal als bisher. Der Trend zum On-line-Betrieb, der über den Ausbau der Datenautobahnen ohnehin nicht mehr aufzuhalten ist, verursacht zwar hohe Kapitalinvestitionen, hilft aber Personal einzusparen.

Es ist also durchaus möglich, daß in der nächsten Dekade viele Akademiker unter ihren Möglichkeiten beschäftigt sein werden. In Deutschland wurde der Sättigungsgrad schon in den siebziger Jahren erreicht und seine Auswirkungen von Bildungssoziologen problematisiert. Der

Zugang zu Positionen mit hohem Einkommen und gesellschaftlichem Prestige steht nicht mehr jedem Hochschulabsolventen offen.

Ein Vergleich des Bildungsstandes berufstätiger Österreicher und Österreicherinnen bei den Volkszählungen 1981 und 1991 liefert Beweise für diese Feststellung. Die mit Abstand stärksten Anteilssteigerungen bei den Berufstätigen waren zwischen 1981 und 1991 für die BHS-Maturanten und die Akademiker zu verzeichnen: rund um die Hälfte stiegen beide Quoten. Erst weit abgeschlagen folgen die Quoten der AHS-Maturanten – der Anstieg betrug hier rund ein Sechstel – sowie der Lehrabsolventen. Die Fachschulabsolventen-Quote der Berufstätigen erhöhte sich nur um ein Zehntel. Im Jahr 1991 wiesen nur noch 29,4% aller Berufstätigen in Österreich keine über den Pflichtschulabschluß hinausgehende Qualifikation auf.[3]

Die Arbeitsmarktforschung bilanziert zwar Lage, Engpaß- und Überschußsituationen, recherchiert vielleicht verwendbare Hinweise für ihre Bewältigung, in den meisten Fällen aber unterschlägt sie uns eine Analyse volkswirtschaftlicher Kosten-Nutzen-Rechnungen. Am Beispiel der sogenannten „Akademikerschwemme" läßt sich das leicht demonstrieren, denn es liegt auf der Hand, daß ein Überschuß an Akademikern nicht nur soziale Kosten, sondern auch sozialen Nutzen zu erbringen vermag. Hinweise auf „steuerliche Mehrbelastungen für die Unternehmen und Arbeitnehmer, die unsere wirtschaftliche Wettbewerbsfähigkeit nachhaltig beeinträchtigen würden"[4], falls an der Anstellung von Hochschulabsolventen im tertiären oder Non-Profit-Sektor festgehalten wird, stehen im Widerspruch zu den arbeitsmarktpolitischen Forschungsergebnissen, denen zufolge die Umwandlung der Industriegesellschaft in eine Informationsgesellschaft zwangsläufig auch ein Wachstum des Dienstleistungssektors nach sich zieht. Die Neubelebung der beruflichen Bildung z. B. ist nur über entsprechend qualifizierte Ausbildner möglich. Die neuen Aufgaben der Infrastruktur können nur durch bestqualifizierte Arbeitskräfte erfüllt werden. Oder ist flächendeckende ärztliche Nahversorgung etwa schlecht? Wenn sich – um es polemisch zu formulieren – mehr Jungärzte dazu durchringen könnten, am Land Ordinationen zu eröffnen, anstatt sich

---

[3] Quelle: ÖSTAT/ÖIBF

[4] Schneeberger, A.: Hochschulexpansion und Wirtschaftsleistung im Ländervergleich. ibw-Forschungsinformation, Wien, August 1995

in den Städten zu konzentrieren, wäre diese Nahversorgung längst schon gesichert. Mobilität und Bereitschaft zur Weiterbildung heißen die arbeitsmarktpolitischen Zauberwörter, mit denen sich nicht alle, aber einige Probleme schneller lösen ließen.

Für folgende Bereiche besteht Nachfrage nach wirtschaftsorientierten Dienstleistungen und gesteigerter Personalbedarf. Auffallend ist, daß sich die Arbeitsplätze mit verstärktem Beschäftigungsnachwuchs mit den Berufspräferenzen von Kollegschülern weitgehend decken.

Wo sind die neuen Arbeitsplätze? In welchen Bereichen ist Beschäftigungswachstum vorauszusehen?

- Gesundheit
  (neue Pflege- und Betreuungsformen)
- Kultur/Freizeit
- Umweltschutz
  (umweltgerechte Produktion, Entsorgung und Rohstoffrückgewinnung, Schaffung natürlicher Erholungsräume, Wiederherstellung beschädigter Natur, Energieeinsparung, Luftreinhaltung, Trinkwasserversorgung, Raumordnung, Stadtsanierung)
- Energie/Verkehr
  (Verbesserung der Energienutzung, Kapazitätserweiterung des öffentlichen Verkehrs)
- Biotechnologie
  (z. B. biologische Arzneimittel, Landwirtschaft, Nahrungsmittel, chemische Stoffe, Verfahrenstechnik)
- Sicherheit
- Sozial- und Pflegewesen
- Gestaltung/Design
- Marketing und Werbung
- Audiovision
  (der audiovisuelle Sektor ist sehr arbeitsintensiv, die Zahl der Fernsehkanäle wird ansteigen)

- Handel
  (Verkaufsberatung, Präsentationstechnik)
- EDV
- Forschung und Entwicklung
- Rechts- und Betriebsberatung

Für viele Bereiche des Dienstleistungssektors besteht die berechtigte Hoffnung, daß sich jedes Angebot selbst die nötige Nachfrage schafft. Dienstleistungen nämlich, die die Lebensqualität heben, werden, wenn die Kaufkraft erhalten bleibt, sicherlich nachgefragt und bezahlt. Niemand wird ernstlich behaupten, daß hinsichtlich des Bedarfs an Pädagogen, Ärzten, Juristen, Pharmazeuten, Psychotherapeuten, Malern, Schriftstellern, Schauspielern oder Musikern, Umwelttechnikern und Raumplanern etc. ein endgültiger Sättigungsgrad abzusehen wäre. Daher propagieren Arbeits- und Wirtschaftsexperten in jüngster Zeit ein qualitatives Wachstum des Dienstleistungssektors. Dies bedeutet, daß mehr jüngere Menschen freiberuflich und selbständig tätig sein werden, um ihre Dienstleistungen in den angeführten Bereichen anzubieten.

Zunehmen wird sicherlich auch die Dienstleistung „Bildung" – der Terminus *Life-long-learning* wird kein Schlagwort der 90er bleiben, sondern zur selbstverständlichen Lebenshaltung in der Welt von morgen werden. Zwar meinen Experten immer wieder, daß wir alle auf diesen Strukturwandel nicht vorbereitet seien, doch kann man davon ausgehen, daß eine Generation flexibler Individualisten sich leichter einfügen wird in diesen globalen Wandel, der wegführt von vorgegebenen Strukturen und Arbeitsreglementierungen. Die generelle Arbeitszeit wird zwar im internationalen Gleichschritt verkürzt und die 30-Stunden-Woche eines Tages die Regel werden, doch die Arbeit selbst wird für viele Menschen inhaltsreicher werden. Sogenannte sinnentleerte Tätigkeit wird immer mehr der Automation weichen, während andere, jetzt noch gar nicht oder weniger bezahlte Tätigkeiten, wie Gestaltung des Umfeldes, Erziehung von Kindern oder Pflegedienste, eine Aufwertung erfahren werden.

Wie zahlreiche Buchautoren der Managementliteratur bereits ausführten, wird Arbeit – und dies ist nur die konsequente Fortsetzung des

Individualismus unserer Gesellschaft – eine immer bedeutendere Rolle im Selbstbewußtsein des Menschen spielen: „In einer technisch fortgeschrittenen Gesellschaft sollte Arbeit primär der Persönlichkeitsentwicklung dienen und nur sekundär mit der Produktion von Gütern und Dienstleistungen befaßt sein“[5], meint der Ex-IBM-Manager John Hormann, dem auch der Leitspruch „Work smart, not hard“ zugeschrieben wird.

Soweit die gute Nachricht. Die schlechte ist, daß wir auf diese Entwicklung nicht vorbereitet sind. Daß Arbeit weniger mit Plage und Pflicht, aber mehr mit Selbsterfüllung zu tun haben könnte, mag nach billiger New Age-Doktrin klingen. Daß die Arbeit – wie wir sie gewöhnlich definieren – weniger werden wird, ängstigt. Und trotzdem ist der Wandel nicht aufzuhalten. Besser ist es daher, jetzt bewußt Fähigkeiten des Selbstmanagements und der Kreativität zu trainieren. Empfehlenswert sind hier alle Praktiken, Seminare und Lehrangebote, die auf einen veränderten Umgang mit der Welt der Arbeit vorbereiten. Die Entwicklungen am High-Tech-Bereich etwa umfassen alle Berufe. Der durch das Vordringen der Mikroelektronik ausgelöste Strukturwandel wird nicht nur die Anzahl der Beschäftigten betreffen, sondern auch grundsätzliche Änderungen bezüglich der Berufe, Berufsinhalte, Berufsanforderungen und notwendiger Qualifikationen bewirken. Mit welchen Konsequenzen dieser Strukturwandel für die Institutionen, die Berufsbildung vermitteln, sowie für die Beschäftigten einhergehen wird, ist auch eine Frage politischer Gestaltung.

Auch die Absolventen der formal höchsten Bildungseinrichtungen werden sich – um weitere Beschäftigungschancen aufrechtzuerhalten – verstärkt in Richtung auf eine Berufstätigkeit an der Wirtschaft orientieren müssen. Der durch den verschärften internationalen Wettbewerb erzwungene Abbau von Jobs in der Industrie wird vom Dienstleistungssektor immer weniger kompensiert werden können. Banken, Versicherungen und der Handel stehen vor großen Rationalisierungswellen, und auch im öffentlichen Dienst wird der Budgetsanierung wegen demnächst weiter eingespart werden. Branchen aber, die bevorzugt Akademikern oder Absolventen von Kollegs Arbeitsplätze anbieten, sind vor allem jene, welche ständig neue, innovative

[5] zit. nach Gerken/Konitzer, a.a.O. S. 123

Produkte entwickeln, Substitutionsvorteile aufweisen und über internationale Standorte verfügen. Interdisziplinarität ist gefragt: Optoelektronik, Mechatronik, Biotechnologie, Biomedizin, Informationstechnologie etc.

Die überwiegende Mehrheit der Betriebe erwartet sich nach einer vom ibw im August 1995 durchgeführten Studie von den Fachhochschulabsolventen vor allem hervorragende Kenntnisse über Organisation, Controlling, Finanz- und Rechnungswesen.

Neben dem theoretischen Fachwissen und allgemeinen Qualifikationen, wie Fremdsprachen, Mathematik und Informatik, gewinnen vor allem Charakter- und Persönlichkeitseigenschaften als fächerübergreifende Fähigkeiten an Bedeutung:

- Kooperation
- Teamarbeit
- verantwortliches Handeln
- Geistige Flexibilität
- Denken in betrieblichen Zusammenhängen
- Kreativität
- Unternehmerisches Denken
- Führungsqualitäten

Wege nach der Matura (Schülerbefragung an einer AHS)

„Was werden Sie nach der Matura machen?"

Studium	*77,0% (männlich)* *60,0% (weiblich)*		
Kurzausbildung	*14,0% (m)* *33,1% (w)*	*Lehre*	*0,5% (m)* *1,0% (w)*
Beruf	*5,5% (m)* *3,8% (w)*	*Weiß nicht*	*3,0% (m)* *2,2% (w)*

Anforderungen an den Beruf

„Mein Wunschberuf soll..."	männlich	weiblich
mir viel Abwechslung bringen	90,2%	90,8%
mir Gelegenheit geben, selbständig entscheiden und handeln zu können	90,0%	88,3%
mir gesunde und sichere Arbeitsbedingungen ermöglichen	80,6%	80,1%
möglichst krisenfest und sicher sein	67,7%	68,3%
mir viele Kontakte mit Menschen ermöglichen	67,9%	82,0%
mir die Möglichkeit geben, anderen zu helfen und ihnen nützlich zu sein	55,7%	67,9%
mir ein möglichst hohes Einkommen verschaffen	70,1%	53,6%
mir beste Aufstiegsmöglichkeiten bieten	68,6%	54,4%
mir möglichst viel Freizeit lassen	62,0%	54,1%
mir sowenig Unterordnung wie möglich abverlangen	64,6%	60,1%
mir ein hohes Ansehen verschaffen	43,1%	31,0%
mir die Möglichkeit geben, die Gesellschaft zu verändern	38,4%	44,0%

(Quelle: WISDOM, Schülerbefragung)

Die Vorstellungen, die Schüler und Studenten beiderlei Geschlechts von ihren zukünftigen Arbeitsbedingungen haben, sind im allgemeinen eher konservativ als utopisch gefärbt. Zusätzlich werden junge Menschen durch die derzeitige Diskussion im Arbeits- und Sozialbereich eher verunsichert als unterstützt, was die Planung eigener Lebens- und Arbeitsentwürfe anbelangt. Je höher der Bildungs- und Ausbildungsgrad, desto größer ist aber auch die Bereitschaft, einen Beruf mit viel Verantwortung und Selbständigkeit zu wählen. Das Ausmaß der Veränderungen, was die Arbeit der Zukunft betrifft, ist aber wahrscheinlich größer als derzeit angenommen. Der Großteil der zukünftigen Arbeitsplätze und damit auch des wirtschaftlichen Wachstums wird aus der Kommunikationstechnologie entstehen. Wir stehen hier erst am Anfang einer Entwicklung, für die aber die jüngeren Generationen zweifelsohne besser vorbereitet sind. Der Umgang mit den neuen Technologien ist für sie im privaten, schulischen und beruflichen Bereich selbstverständlich geworden.

1985 wurde prognostiziert, daß 1990 jeder zweite Arbeitnehmer als Tele-Arbeiter zu bezeichnen sein wird. Wenn wir Tele-Arbeit als computerunterstützte Bildschirmarbeit definieren, gibt es heute – ein paar Jahre später – wohl keinen Wirtschafts- oder wirtschaftsorientierten Dienstleistungsbereich mehr, der ohne diesen „Zauberlehrling" auskommt. Von der Tele-Arbeit ist es nur mehr ein kurzer Schritt zu der heute allerorten heißdiskutierten und unter vielen Bezeichnungen eingeführten neuen „Tele-Heimarbeit". Im deutschen Sprachraum auch: „Terminalheimarbeit", „informationstechnisch gestützte Heimarbeit" oder „elektronische Heim- oder Fernarbeit." Wesentlich für die „Teleheimarbeit" ist, daß der externe Arbeitsplatz betriebsorganisatorisch dezentral eingerichtet und mit informationstechnischen Endgeräten ausgestattet ist. Die Verbindung mit dem Arbeit- bzw. Auftraggeber ist durch elektronische Kommunikationsmedien und -leitungen gegeben. Teleheimarbeit fällt entweder unter das Heimarbeitsgesetz oder wird in einem Angestelltenverhältnis bzw. freischaffend ausgeführt.

Stützen wir uns auf Forschungsergebnisse von IBM in Deutschland,[6] das die bisher fundiertesten Versuche mit Teleheimarbeitsplätzen gemacht hat, bewerten alle Befragten die Auswirkungen des häuslichen Arbeitsplatzes positiv. Aber auch Untersuchungen in Österreich wie z. B. das vom „Institut für Soziales Design" durchgeführte Forschungsprojekt „Alternativen zur Teleheimarbeit"[7] haben ergeben, daß die Akzeptanz dieser „virtuellenArbeitsplätze" sehr groß ist und sich die ursprünglichen Vorbehalte vor allem unter den leitenden Angestellten und Akademikern in Führungspositionen nicht bestätigt haben. Unter den Vorteilen auf der Beschäftigtenseite werden angeführt:

- Zunahme zeitlicher Flexibilität sowie Anpassungsmöglichkeit der Arbeitszeit an familiäre Bedürfnisse und den persönlichen Arbeitsrhythmus

---

[6] Möntmann H. G. in: Das Ende der Mobilität. Leben am Daten-Highway, Wien 1994, S. 178
[7] Autorenkollektiv: Alternativen zur Teleheimarbeit. Institut für Soziales Design, Wien 1989

- Möglichkeit der Integration von Arbeit und Kinder- bzw. Angehörigenbetreuung
- Reduzierung von beruflichen Fahrtzeiten und -kosten
- Verminderung von Streß und Störungen bei beruflichen Tätigkeiten
- Größere Mobilität bei der Wahl des Wohnorts

Für höherqualifizierte Tätigkeiten kann Telearbeit zu Hause eine willkommene und interessante Abwechslung im Berufsalltag darstellen. Der berufliche bzw. der arbeitsrechtliche Status der Beschäftigten spielt bei der Beurteilung dieser neuen Arbeitsform eine beträchtliche Rolle. Denn es sind vor allem Frauen mit Kleinkindern und behinderte Personen, die niederwertige Teleheimarbeit verrichten. Es sind Arbeiten, die den Kontrollaufgaben gleichen, wie wir sie noch vor zwei, drei Jahrzehnten aus der Schwerindustrie kannten. Auch die arbeitsrechtlichen Gegebenheiten haben mit diesen Veränderungen nicht Schritt gehalten. Immer drängender stellt sich die Frage, wie flexibel die derzeitigen Bestimmungen handzuhaben sind und inwieweit diese in näherer Zukunft weiterentwickelt werden können. So werden unter anderem als ernstzunehmende Nachteile auf der Beschäftigtenseite angeführt:

- Isolation sowie mangelnde soziale Kontakte und Kommunikation bei der Arbeit zu Hause
- Ergebnisbezogene Entlohnung und Leistungskontrollen führen zu akkordähnlichen Arbeitsbedingungen; Arbeiten in der Nacht und an Wochenenden
- Arbeitnehmerschutzbestimmungen, arbeitspsychologische und ergonomische Normen sind kaum kontrollierbar
- Bei bestimmten Vertragsverhältnissen entfallen oder verschlechtern sich sozial- und arbeitsrechtliche Ansprüche der Beschäftigten (Kranken-, Unfall-, Pensions-, Arbeitslosenversicherung, Urlaubsanspruch, Kündigungsschutz usw.)

Hier müssen die Sozialpartner Lösungen finden. Eines steht fest: Normalarbeitszeit zu festgelegten Zeiten, eingebunden in ein System sozialer Sicherheiten, ist nicht mehr lange zu halten. Auch eine längere Betriebszugehörigkeit wird nicht mehr der Regelfall sein. Was aus der derzeitigen Literatur zur Entwicklung des Berufsfeldes einleuchtend hervorgeht, ist die Erkenntnis, daß wir nicht nur unsere Arbeits- und

Freizeit neu einteilen werden müssen, sondern daß sich unsere Vorstellung von Arbeit an sich zu wandeln haben wird.

Objektiv gesehen, gibt es heute sowohl national als auch international mehr Ausbildungs- und Weiterbildungsmöglichkeiten, etwa im Bereich der Höheren Bildung und der Post-Graduate-Ausbildung.

Wir müssen davon ausgehen, daß junge Menschen, die heute in das Berufsleben eintreten, bis zu ihrer Pensionierung im Durchschnitt viermal ihren Job gewechselt haben werden. Der Trend geht also eindeutig zum Job-Wechsel. Doch sind wir in Österreich darauf vorbereitet? Entspricht der Trend zu Veränderung und Flexibilität unserer Mentalität?

Langzeitstudien haben ergeben, daß die Flexibilität mit der formalen Ausbildung gefördert wird. Mit anderen Worten: je höher jemand formal ausgebildet ist, desto eher ist er bereit, einen Job-Wechsel anzutreten. Die Bereitschaft, neue Herausforderungen anzunehmen, hat mit Selbstvertrauen zu tun. Vertrauen zu sich selbst aber wird durch fundierte Ausbildung gefördert. Dies erklärt, warum Akademiker sich risikofreudiger auf ihrem Karriereweg bewegen als etwa Maturanten, und zwar unabhängig von der jeweiligen beruflichen Qualifikation oder der erbrachten Leistung.

Studienrichtungen, die nur für einen Beruf ausbilden, werden in Zukunft nicht mehr gefragt sein. Wenn jemand nur Latein und Griechisch als Studienfächer wählt, vervollständigt er zwar seine von mir hochgeschätzte humanistische Bildung, ist aber in seinen beruflichen Möglichkeiten sehr eingeschränkt. Unternehmen werden aber in Zukunft vermehrt Kandidaten und Kandidatinnen rekrutieren, die in ihrer Geisteshaltung sehr offen sind.

Trotz dieser Erkenntnisse sind die faktischen Widerstände gegen mehr Mobilität in Österreich sehr hoch. Dies ist einerseits den Sprachhürden anzulasten, andererseits aber auch eine Mentalitätsfrage. Es ist bekannt, daß Nordeuropäer (Norweger, Schweden, Dänen oder Briten) – also die Bevölkerungen der ehemaligen Seefahrerländer – wesentlich mobiler sind als Mittel- oder Südeuropäer.

Österreicher und Österreicherinnen stehen, was geistige oder lokale Mobilität betrifft, sicher nicht in der vordersten Reihe. Zu der Mentalitätsfrage kommt hier aber auch noch die Kompliziertheit des Wohnungsmarktes. Unsere Einstellung zu Besitz und Eigentum ist ebenfalls anders als zum Beispiel in den USA. Für einen Amerikaner ist es keine Entscheidung für das ganze Leben, ein Haus zu kaufen. Er wechselt Jobs, Wohnorte und Häuser in kürzeren Abständen und leichteren Herzens als der Mitteleuropäer. Diese Flexibilität spiegelt sich auch in der Unternehmenskultur amerikanischer bzw. internationaler Konzerne wider.

Gewiß brauchen wir in Zukunft auch eine wesentlich größere Durchlässigkeit der einzelnen Ausbildungssysteme. Einzelne Ausbildungsangebote dürfen keine Sackgassen mehr sein! Hierher gehört auch die Forderung, den Übertritt vom Lehrberuf in eine weiterbildende Schule zu vereinfachen. Es soll für alle in Zukunft leichter möglich sein, sich Zusatzqualifikationen zu erwerben. Jungen Menschen kann man nur raten, absolut jede Möglichkeit zur höheren Bildung auszunützen. Die herkömmliche Form der Hauptschule wird bald überholt sein. An ihre Stelle sollte die Realschule treten. Das heißt, daß die derzeitige Allgemeinbildende Höhere Schule in eine Form, die die Mittlere Reife anstrebt, und in eine weiterführende Form, die die Voraussetzung für das Hochschulstudium bietet, geteilt würde.

In diesem Zusammenhang wäre zwischen den Begriffen Bildung und Ausbildung zu unterscheiden. Ausbildung wird sich immer stärker an den Gegebenheiten und Gesetzen des europäischen Marktes orientieren müssen. Daneben aber gibt es noch den Bildungsaspekt, der unser kulturelles Erbe beinhaltet. Wir reden soviel von der Eigenständigkeit Europas, betreiben aber im Moment eine Japanisierung des Bildungssystems. Gerade zu einem Zeitpunkt, da wir von der besonderen europäischen Identität reden, betreiben wir im Bildungsbereich keine Europäisierung, sondern eine unterscheidungslose Internationalisierung. Das speziell Europäische muß aber auch weiterhin im Bildungssystem verankert sein. Dieser Ansatz muß meiner Meinung nach auch stärker bei der Lehrerausbildung berücksichtigt werden.

FREIZEIT: FREIHEIT FÜR PERSÖNLICHKEIT?

Wer sich seine Vergnügungen von einem
anderen genehmigen lassen muß,
ist arm dran.

Madonna

Ich gehe gern auf Urlaub, auch wenn mir die Berufsarbeit viel Freude macht. Ich liebe ein freies Wochenende, auch wenn ich es oft vermissen muß. Manche in meiner Altersgruppe würden sich schämen, so etwas zuzugeben. Werfen wir nicht immer wieder jungen Menschen ihre Freizeitneigungen, vielleicht sogar ihre Arbeitsscheu vor?

Nicht selten sieht sich ein junger Mensch mit solchen Vorurteilen konfrontiert. Die ältere Generation sieht den Trend, mehr Zeit für sich selbst, also mehr Freizeit zu haben, häufig negativ, ihr scheint nicht oder nicht mehr bewußt zu sein, daß man als Ausgleich zu Beruf bzw. Ausbildung Zeit benötigt, in der man sich anderen Dingen zuwenden kann, ohne „unproduktiv" oder „faul" zu sein. Einfach den eigenen Gedanken nachzugehen und die „Seele baumeln" zu lassen, ist vom psychologischen und medizinischen Standpunkt aus für das Wohlbefinden von größter Wichtigkeit. Der Trend der Zeit ist eindeutig: Freizeit wird für den Österreicher und die Österreicherin zunehmend wichtiger und ist der quantitativ umfangreichste Bereich im Zeitbudget.

Pro Jahr steht ein Zeitausmaß von 8.760 Stunden zur Verfügung,[1] wovon der durchschnittlich vollbeschäftigte Arbeitnehmer bzw. Schüler/Student etwa 2.000 Stunden (das wären 23% der Gesamtzeit) für Beruf bzw. Schule, weitere 2.900 Stunden (33%) für das Schlafen aufwendet; bleiben 3.860 Stunden (44%) für „Freizeit". Es zeigt sich

[1] Popp, Reinhold/Zellmann, Peter: Freizeit in Österreich – die verpaßte Chance? Analysen und Perspektiven für Freizeitpolitik und Freizeitpädagogik, Wien/Salzburg, 1991, S. 9ff
Geretschläger, E.: Jugend von heute – Jugend von morgen, Wien 1994, S. 30ff

also ganz deutlich, daß diese im Vergleich zur Arbeits- und Schlafenszeit der mit Abstand größte Posten ist, wobei allerdings noch ein „zweckbestimmter“ Zeitbereich für Essen, Körperpflege, Haushaltsführung etc. – im Schnitt 1.160 Stunden (30% der „Freizeit“) – abgezogen werden muß. Die „selbstbestimmte“ Zeit macht aber immerhin noch ca. 2.700 Stunden aus. Ähnlich dominant stellt sich der Anteil der „Freizeit“ am gesamten Zeitbudget bei Betrachtung der Lebenszeit dar: 340.000 Stunden (52%), also über die Hälfte der Lebenszeit, wenn man diese mit 75 Jahren festlegt, verbringt der Mensch mit „Freizeit“, 220.000 Stunden (33%) mit Schlafen und 100.000 Stunden (15%) mit Ausbildung und Beruf.

Trotz des hohen quantitativen Anteils, den die Freizeit heutzutage im Leben eines Menschen einnimmt, und des überragenden Stellenwertes – Freizeit zählt neben Familie/Partnerschaft, Gesundheit, Beruf/Arbeit und Freunden/guten Bekannten zu den wichtigsten Lebensbereichen – ist der Wunsch nach mehr Freizeit deutlich nachzuweisen. 8% der Österreicher sind der Ansicht, „viel zu wenig“, 27% „etwas zu wenig“ Freizeit zu haben, ein gutes Drittel fordert mehr Zeit neben Beruf beziehungsweise Ausbildung.

Überdurchschnittlich hoch ist dieser Wunsch bei jungen Menschen, vor allem bei Schülern und Studenten (45%); 27% der Österreicher, 48% der Schüler und Studenten würden dafür sogar in Kauf nehmen, weniger zu verdienen. Wieweit diese Tatsache der Realität entspricht, bleibt allerdings zu hinterfragen, da gerade Schüler und Studenten in der Regel über kein Einkommen aus einem Beruf verfügen. Aber Freizeit kostet Geld!

Heißt das nun, daß die Jugend bestrebt ist, weniger zu arbeiten und mehr Zeit mit „Nichtstun“ zu verbringen? Arbeitsunlust? Faulheit? Bequemlichkeit? Untersuchungen haben ergeben, daß die Freizeit durchaus aktiv genutzt wird, wobei sich bestimmte Lebensziele und Lebensqualitäten dem Berufs- oder dem Freizeitsektor zuordnen lassen: Einsatz von Fähigkeiten und Können, Anerkennung und Akzeptanz, Gestaltung, Erfolg und Karriere der Arbeit bzw. dem Beruf; Freude und Spaß, Geselligkeit, Selbstverwirklichung und das Tun von etwas „Sinnvollem“ der Freizeit. Viele stimmen darin überein, daß man in beiden Sektoren Interessantes und Neues dazulernen kann. Man ist bereit, mehr zu arbeiten, wenn man sich in der Freizeit mehr leisten kann; Effizienz in der Arbeit bedeutet gleichzeitig eine Steigerung des Freizeitkonsums, an den man immer höhere Ansprüche stellt – Freizeit ist nicht mehr nur Spiel und Entspannung. Die Karriere jenseits von Prestige und Position wird für viele immer wichtiger, man strebt mehr Zeit für sich an und legt mehr Wert auf Selbstverwirklichung und Unabhängigkeit als auf materiellen Wohlstand. Im Trend ist die sogenannte „sanfte“ Karriere, bei der nicht Geld, Macht und Aufstiegschancen im Vordergrund stehen, sondern Spaß an der Arbeit und Freude am Erfolg. Das Privatleben darf dabei auch nicht zu kurz kommen.

Roland, 21 Jahre, Pilot in Ausbildung

Mein Beruf soll mir Spaß machen, er ist aber nicht viel mehr als das Mittel zum Zweck – nämlich zu „leben“. Das Leben zu genießen, ist Mittelpunkt meines Lebens.

Unbestritten ist, daß der Charakter der Freizeit immer mit dem Charakter der Arbeit zusammenhängt. Eine schwere körperliche Arbeit erfordert in der Freizeit vor allem Erholung zur Wiederherstellung der körperlichen Kräfte. In einer industrialisierten Gesellschaft spielen aber schwere körperliche Arbeiten eine immer geringere Rolle. Hingegen wachsen das Dienstleistungsgewerbe und die Verwaltung. Daher ist der Bedarf an rein körperlicher Erholung geringer, dafür bleibt mehr Kraft für Sport, Hobbies und geistige Betätigungen. Diese Entwicklung wird noch dadurch unterstützt, daß die Familien kleiner werden und die Finanzkraft des einzelnen steigt, ja der moderne Mensch verfügt in seiner Freizeit über zahllose Möglichkeiten, von denen er früher nicht einmal geträumt hätte.

Waren früher Herkunft, Verwandtschaft und Besitz entscheidende Lebensparameter für einen Menschen, so sind es heute individuelle Leistungen und persönliches Auftreten, die in zunehmendem Maß beruflichen Status und soziales Ansehen bestimmen. Auch durch die erhöhte Mobilität verliert die persönliche Herkunft an prägender Kraft. Die Situation vieler Jugendlicher in der modernen Gesellschaft ist gekennzeichnet durch verlängerte Ausbildungszeiten, die die Berufswelt in die Ferne rücken, wodurch ihre personale Identität nicht mehr so stark wie früher über berufliche Tätigkeit erworben und festgelegt wird. Die Ausdehnung des Bildungssektors führt einerseits zu verstärkten Orientierungen von Kindern und Jugendlichen an den

Altersgleichen – den sogenannten *peer groups* –, mit denen sie in Jahrgangsklassen und Semestern zusammengefügt sind, andererseits veranlaßt diese auch, sich vermehrt mit sich selbst zu befassen. Die Identitätsproblematik hat sich darüber hinaus dadurch zugespitzt, daß sich Jugendliche heute in einem Bereich behaupten müssen, der – zumindest im Bürgertum – noch vor nicht allzu langer Zeit Erwachsenen vorbehalten war. Das Monopol für Sexualität, das einmal Erwachsenen oder Verheirateten vorbehalten war, ist zusammengebrochen, die erotische Konkurrenz hat sich ausgedehnt und in das Jugendalter vorverlagert. Dadurch gewinnen Beziehungsprobleme für die junge Generation früher an Bedeutung als in der Vergangenheit, womit auch die Frage nach der eigenen Attraktivität, gleichsam nach dem erotischen Marktwert, bedeutsam wird. Die Ausformung und Stilisierung der personalen Identität, das Ausspielen und Besetzen von Marktlücken werden damit für die persönliche Zukunft ebenso strategisch wichtig wie die Aneignung von Ausbildung für die Zukunft. In diesem Zusammenhang erhalten Freizeitaktivitäten und Freizeitkarriere eine herausragende Bedeutung.

Freizeit ist mit höchst unterschiedlichen Wünschen und Erfüllungen verbunden. Was bedeuten Erholung, Muße über den Vorgang körperlicher Regeneration hinaus? Vor allem Ausgrenzung der Notwendigkeit, der Pflicht. Dies ist unbestritten das zentrale Element der Freizeit. Der Alltag mit all seinen Pflichten und Sorgen soll ausgeblendet und verdrängt werden. Dabei entsteht das scheinbare Paradoxon, daß gerade Anspannung im Spiel als Entspannung gegenüber anderen Tätigkeiten erfahren wird. Es gibt einen fließenden Übergang von der Tätigkeit als Selbstzweck zur Tätigkeit, die (auch) anderen Zwecken oder Menschen dient.

Die mögliche Instrumentalisierung von Freizeitaktivitäten ist aber ein viel umfassenderes Phänomen. Gerade weil Freizeit eine immer größere Bedeutung für die persönliche Identität gewinnt, sind die Aktivitäten auch in gewisse individuelle Strategien eingebunden. Junge Menschen haben sich heute mit unterschiedlichen Bildern auseinanderzusetzen, die in den Medien und in der Literatur derzeit von ihnen entworfen werden, während sie früher ein relativ konsistentes Bild von sich widergespiegelt bekamen. „Wer bin ich?" „Was gelte ich?" Diese kaum je endgültig beantwortete Frage wirkt auch auf das Freizeitverhalten. Menschen können das Bild, das andere und sie selbst von sich entwerfen, durch verschiedene Selbstdarstellungsstrategien beeinflussen – Die eigene Identität wird über erbrachte Leistungen definiert. Sport beispielsweise dient daher nicht nur der Entspannung, der Gesundheit, dem Ausgleich und der daraus erwachsenden Freude, sondern auch als Medium, in dem der (junge) Mensch erfährt, wer er körperlich ist. Darüber hinaus wird er versuchen, diese Selbsterfahrung und Selbstdefinition sozial zu realisieren, also durch andere bestätigt zu bekommen. Freizeitaktivitäten sind aber auch für berufliche Interessen und Aussichten nicht ohne Belang. Ein gewisses Aktivitätsniveau in der Freizeit läßt auch berufliche Leistungen erwarten und wird entsprechend honoriert. Das allmählich in der Freizeit angehäufte „soziale Kapital" wird möglicherweise einmal beruflich nutzbar sein.

Freizeit kann also als relativ risikofreier Variationsbereich gesehen werden, in dem persönliche Kompetenzen und Gratifikationen ausgetestet werden. Vieles mag sich zunächst vielleicht zufällig „ergeben", positive und negative innere Befriedigung und äußere Bestätigung führen aber zu einer Selektion von Interessen, und Jugendliche werden sich auf diejenigen Aktivitäten spezialisieren, in denen sie sich als erfolgreich erlebt haben. Dabei werden sie auch feststellen, daß nicht beliebige Aktivitäten miteinander kompatibel sind; Identität wird auch über Abgrenzung hergestellt. Bestimmte Jugendstile sind miteinander unvereinbar – man kann nicht Rocker und Popper, Punk und Skinhead zugleich sein, ähnliches gilt auch in den Gruppenkulturen, die sich im Sport, in der Musik und am Computer herausbilden. Jugendliche investieren Aktivität und Lebenszeit, die nicht mehr rückholbar ist, und mit der Veralltäglichung der Tätigkeit tritt das, was zunächst in der Faszination und der Begeisterung durch Körpererfahrung und Lebensphilosophie ausgeblendet wurde, wieder als Frage in den Vordergrund: Ist dies mein Weg? Wo führt er hin? Welche Alternativen gibt es? Wenn Enttäuschungen zu verarbeiten sind oder Alternativen winken, kann es zur Bilanzierung kommen: Was bringt es? Die Investition an Zeit und Geld wird nun mit dem Ertrag verglichen. Für die Zukunft bedeutet dies, daß Aktivitäten auf ihren Beitrag für den weiteren Lebensweg hin geprüft werden.

Typisch für die moderne Freizeitlandschaft ist gerade, daß sie tausend Wege bereithält und fortwährend weitere eröffnet und sich überdies immer neue Professionalisierungsmöglichkeiten bieten, nicht nur für Sport, Musik und Computer, sondern beispielsweise auch Abenteuerreisen nach außen und innen sind gefragt. Extremtourismus und Psychotherapie belegen dies. Konkurrenz und Selektion bedeuten schließlich, daß es Erfolgreiche und weniger Erfolgreiche gibt; wer sich in einer Konkurrenzsituation erfolgreich erlebt, wird zuversichtlich in die nächst Runde gehen – auf diese Weise erzeugen wir mit einer gewissen Systematik sowohl erfolgszuversichtliche junge Menschen als auch solche mit Versagensängsten, die sich dann in den verschiedenen Lebensbereichen voneinander trennen.

Die Verwendung der „echten Freizeit" ist durchaus nicht willkürlich, sondern bedingt durch die Person in ihrer sozialen Lage, d. h. durch ihre Zugehörigkeit zu sozialen Kategorien, durch die in ihrer Umwelt herrschenden Bräuche und Sitten, durch die gegebene Struktur ihrer Gesellschaft und letztlich durch ihre Gesamtrolle. Zweifelsohne kann das Alter als Determinationsfaktor bezeichnet werden; die sozialen Kategorien der Kinder und der Erwachsenen zeigen spezifisch verschiedene und innerhalb der Kategorie weitgehend einheitliche Verhaltensmuster in der Freizeit. Einen ähnlich starken Einfluß im Sinne der Differenzierung und Vereinheitlichung übt die Schulbildung aus. Kennt man diese, ist weitgehend voraussagbar, welche Teile der Zeitung gelesen, welche Bücher gekauft, welche Filme gesehen, welche Periodika abonniert werden. So ermöglicht der Bildungsgrad mit einigen anderen Merkmalen die Einteilung der Bevölkerung in soziale Schichten. Natürlich bildet auch die Stellung im Lebenszyklus ein Unterschiedsmerkmal. Heirat und Geburt von Kindern stellen einschneidende Zäsuren im Freizeitverhalten dar, da neue Rollenverpflichtungen hinzukommen. Verständlich, daß Ledige in fast allen außerhäuslichen Freizeitaktivitäten aktiver als Verheiratete sind, diese dafür umgekehrt in den häuslichen und familienzentrierten. Kommen Kinder hinzu, so verstärkt sich diese Tendenz noch, allerdings wächst dann auch die Häufigkeit von geselligen Aktivitäten mit Verwandten und Bekannten. Wachsen die Kinder heran, werden außerhäusliche Aktivitäten bestimmter Art wieder attraktiv. Eine interessante und vieldiskutierte Determinante der Freizeitbeschäftigung stellt das Geschlecht dar, wobei die traditionsbedingte Sozialisation die Auswahl sicherlich mehr beengt als biologische Faktoren.

Von der Wohnsituation im regionalen und soziologischen Sinn (Stadt oder Land, Stadtrand, Stadtmitte, moderne Wohnsiedlung usw.) hängt nicht nur die Menge der verfügbaren Freizeit ab, sondern auch der Grad des Bedarfes an bestimmten Freizeittätigkeiten. Man denke an die Länge des Arbeitsweges, an die Unterschiedlichkeit der Verkehrsmöglichkeiten und an die unterschiedlichen Ausflugswünsche von Stadt- und Landbewohnern – das Entspannen und Erholen im Grünen, das „Frischluftschnappen“ ist für den Städter ungleich wichtiger.

Natürlich kann die Bestimmung der Freizeit auch von einer ganz anderen Seite her betrachtet werden, da nicht nur verschiedene Merkmale der Person, nicht nur deren Zugehörigkeit zu bestimmten Gruppen und Schichten ihr Verhalten in einer mehr oder weniger einheitlichen Weise prägen, sondern ebenso die Bräuche, die Normen, die Denkweisen ihrer Umgebung. Ist der Ausdruck „Konsumterror“ zu stark für die Bezeichnung der herrschenden Umstände in der Industriegesellschaft, oder hat er Berechtigung? Tatsache aber ist, daß die Kosmetikindustrie nicht synthetische Produkte verkauft, sondern die Hoffnung auf Schönheit, daß wir nicht nur Obst als Nahrungsmittel kaufen, sondern damit gleichzeitig Vitalität, daß wir nicht nur ein Auto, sondern vor allem Prestige kaufen. Das gilt in besonderem Maß für die Freizeitindustrie. Was modern ist und als guter Geschmack angesehen wird, ist von den allgemeinen Trends, Kulturkreis und sozialer Schicht abhängig. Aber auch äußere Umstände beeinflussen das Freizeitverhalten. Ob man den Urlaub allein oder mit Familie, in der gewohnten Umgebung oder in der Anonymität fremder Regionen verbringt, all das spielt eine Rolle bei dessen Gestaltung. Die soziale Kontrolle, dieser umfassende Mechanismus des sozio-kulturellen Selbsterhaltungstriebes, übt verständlicherweise auf eine Generation, die so sehr mit ihrer Identitätsbestimmung beschäftigt ist, großen Druck aus.

Nicht minder bedeutsam ist schließlich die prägende Kraft der verschiedenen gesellschaftlichen und ideologischen Systeme, durch die die Freizeit gewisse Akzente erhält, je nachdem wie Arbeit und Freizeit bewertet werden. Die Arbeit kann als notwendiges Übel aufgefaßt werden oder auch als Möglichkeit, sein Selbst zu entfalten. Freizeit andererseits kann als aller Laster Anfang, als notwendige Rekompensation oder auch als Befreiuung gedeutet werden. Und die wirtschaftlichen Strukturen müssen berücksichtigt werden, da die Freizeit mit Phänomenen wie Arbeitslosigkeit, Vollbeschäftigung, Automation, Lebensstandard, Berufstätigkeit der Frauen, Versicherung, Karenzurlaub in evidentem Zusammenhang steht.

Es können verschiedene Funktionen der Freizeit unterschieden werden, wie die Wiederherstellung physischer und psychischer Ressourcen, Teilnahme an der allgemeinen Kultur, d. h. die Möglichkeit, mit kulturellen Ideen und Werten in Berührung zu kommen, die Integration des Familienlebens, das Mitwirken am öffentlichen und sozialen Leben sowie das Lernen und die Weiterbildung, wobei nun wieder die verschiedenen Gruppen von Freizeitbeschäftigungen in ihrer Funktion untereinander weitgehend verschmelzen. „Der Konsum nimmt Unterhaltungs- und Bildungscharakter an, die Erholung wird zum Konsum und zur Bildung und schließlich wird die Bildung als Konsum und Unterhaltung betrieben."[2]

Freizeit will natürlich in gewissem Maß organisiert sein. Beginnt bei etwa der Hälfte der erwerbstätigen Österreicher der „Feierabend" an einem durchschnittlichen Werktag (Montag bis Donnerstag) in der Zeit von 16.00 bis 19.00 Uhr, freitags bereits zwischen 12.00 und 16.30 Uhr[3], läßt sich eine solche Aussage für Studenten und deren durchschnittliche Freizeit nicht treffen. Der Samstag ist für sie zwar, wie für fast zwei Drittel (63%) der Erwerbstätigen, ein vorlesungsfreier/berufsfreier Tag. Das Wochenende muß aber nicht unbedingt arbeitsfrei sein – Studienanfänger stellen nach gewisser Zeit fest, daß das Studentenleben doch nicht so bequem ist, wie es gemäß einer oft vertretenen Meinung oft so leichthin heißt. Gerade die „freien" Abende sowie die Samstage und Sonntage werden oft an einem Schreibtisch hinter den Büchern sitzend verbracht. Auch einen beachtlichen Teil der vorlesungsfreien Monate Februar, Juli, August und September müssen sich Studenten und Studentinnen auf Prüfungen vorbereiten, Arbeiten verfassen oder an Projekten teilnehmen. Der oft gehörte Vorwurf, Studenten hätten ohnehin so viel Ferien, scheint damit nicht berechtigt, doch wird sicherlich jedem Hochschüler genügend Zeit bleiben, um Hobbies und Freizeitbeschäftigungen nachzugehen oder Reisen zu unternehmen. Das Problem, wie man die kostbare Freizeit verbringt, stellt sich also der jungen Generation in sehr unterschiedlichen Formen, rückt aber insgesamt in den Vordergrund. Die zunehmend frei

---

[2] Schelsky, H.: Das Recht auf die Freizeit des anderen. In: Schelskly, H.: Auf der Suche nach Wirklichkeit, Düsseldorf 1965, S. 418
Zitiert in: Morel Julius: Die eisernen Gesetze der freien Zeit – soziologische Aspekte der Freizeit. In: Freizeit wozu? Ringvorlesung der Universität Innsbruck. Hrsg. von der Deutschen Gesellschaft für Freizeit, Düsseldorf 1973, S. 126

[3] Popp, a. a. O., S. 19

verfügbare Zeit entspricht den gesteigerten finanziellen Mitteln, das Streben nach Selbständigkeit liegt ganz im Trend der Zeit.

Die Jugendzentren, die Anfang der 70er Jahre aufkamen, übten trotz Selbstverwaltung eine gewisse Kontrollfunktion aus, der sich die jungen Menschen Schritt für Schritt entzogen und die die Bewegung auf diese Weise zum Scheitern brachte. Man strebte und strebt immer noch nach Unabhängigkeit, man will seine Freizeit selbst organisieren, und so fühlen sich 1983 sechs von zehn Jugendlichen einer informellen Gruppe zugehörig, während es zwanzig Jahre zuvor lediglich 16,2% waren.[4] Die Clique wird als der wichtigste Freizeitpartner betrachtet, mit der man ganz ungezwungen das netteste Kaffeehaus besucht, ohne an die oft beschränkten Räumlichkeiten eines Jugendzentrums und die dort erscheinenden Gleichaltrigen gebunden zu sein. Man sitzt gerne gesellig beisammen, um zu plaudern, zu lachen, zu essen oder zu trinken. Mit der Clique treibt man Sport, diskutiert und verbringt sogar seinen Urlaub. Man sucht sie sich aus bzw. wächst in sie hinein. Junge Menschen mit ähnlichen Interessen, ähnlichen Charakteren, in der Regel ähnlicher Schul- bzw. Ausbildung, aus einer ähnlichen sozialen Schicht kommend, finden sich zusammen. Da sich allerdings oft nicht alle Interessen eines jungen Menschen in einer einzigen Clique verwirklichen lassen, gehört er zumeist mehreren Gruppen mehr oder weniger lose oder intensiv an.

Das Phänomen der Cliquenbildung ist überall in immer zunehmendem Maße zu beobachten. Es beginnt bei den Volksschülern, setzt sich in der höheren Schule fort, vielleicht sogar während der Studienzeit. Oder es entstehen auf der Universität oder in einer anderen Ausbildungsstätte neue Gruppen aus Kollegen des gleichen Semesters, mit Jugendlichen, die aus demselben Ort, demselben Bezirk stammen, oder ganz einfach aus solchen, die sich zur Ausübung einer gemeinsamen Tätigkeit treffen. Für den jungen Menschen von heute ist es ungeheuer wichtig, einer solchen Clique anzugehören, und erst mit zunehmendem Alter ist eine Verschiebung zum festen Partner hin festzustellen. Allerdings sieht man als außenstehender Beobachter vermehrt Pärchen und

[4] Drieseberg, Thomas u. a.: Sinnwelt Freizeit. Jugendliche zwischen Märkten und Verbänden. Opladen 1990, S. 13

junge Ehepaare, die fix in ihrer Clique integriert sind und anscheinend einen nicht geringen Teil ihrer Freizeit mit dieser verbringen.

Neben dem zwanglosen Zusammentreffen solcher informeller Gruppen gibt es auch – die Übergänge dazu sind fließend – öffentlich organisierte Freizeit, also Freizeittätigkeiten, die von Kammern, Vereinen oder gemeinnützigen Institutionen organisiert und angeboten werden, ohne jegliches kommerzielle Interesse. So sind etwa 24% der Österreicher Mitglieder in Sportvereinen, 9% in Musikvereinen[5], wobei jüngere Menschen eindeutig dominieren. In jedem dieser Vereine gibt es eine aktive „Jugend", die regelmäßig zum Turnen, zum Fußball- oder Tennisspiel oder zum Musizieren zusammenkommt. Die Alpenvereinsjugend stürmt die Gipfel der schönsten Berge Österreichs und anderer Länder und die Pfarrjugend organisiert Diskussionsrunden und Wohltätigkeitsveranstaltungen. Die Gruppen solcher Vereine können durchaus sehr locker geführt sein und unterscheiden sich daher häufig nur durch die Vorgabe der Tätigkeiten von den absolut informellen Verbindungen. Darüber hinaus treffen sich die Turner auch gerne außerhalb der Sporthalle für einen Kinobesuch, und die Tennisspieler, um schwimmen zu gehen. Da im Zuge des steigenden Wohlstandes auch die Jugend im allgemeinen über mehr Geld verfügt, werden gerade die Jugendlichen von der kommerziell organisierten Freizeitwirtschaft verstärkt umworben. Daher sind Einrichtungen, die direkt mit Konsum verbunden sind, wie etwa Diskos oder kommerzielle Sportstätten (Squashcenter, Fitneßstudios...) auch sehr um junge Menschen bemüht. Eine zweite Variante der kommerziell organisierten Freizeit stellen jene Anbieter dar, bei denen die kommerziellen Ziele zunächst verborgen bleiben. Als Beispiel hierfür wären das Bausparen oder die Jugendclubs der verschiedenen Geldinstitute zu nennen, für deren Mitglieder Musikveranstaltungen, Sportereignisse, Diskos, Kurse etc. angeboten werden.

Manuela, 20 Jahre, Studentin

Die Musikstudentin verbringt ihre Tage während der Woche größtenteils auf der Musikhochschule in Wien bzw. mit dem Üben der Instrumente. Freie Zeit bleibt ihr wenig, da der Weg von zu Hause zur Ausbildungsstätte täglich zwei bis drei Stunden ein-

[5] Popp, a. a. O., S. 27f

nimmt, zwei Abende der Woche gehören dem Chorsingen und vorlesungsfreie Vor- und Nachmittage verbringt sie am Klavier. Auch am Wochenende und während der Ferien muß geübt werden, dazu kommen die Verpflichtungen als Organistin in der heimatlichen Pfarre; dennoch nimmt sie sich gerne Zeit, um den Abend mit ihren Studienfreunden in einem Lokal oder beim Heurigen in geselligem Zusammensein zu verbringen oder in gemütlicher Runde mit ihrer Freundin aus der Pfarre. Sie hat das einstige Hobby zu ihrem künftigen Beruf gemacht, und ihre Freizeitaktivitäten hängen stark mit ihrem Studium zusammen: Orgel spielen, im Chor singen, auch in der Pfarrjugend wird viel musiziert. Die Zeit zum Lesen fehlt ihr; als Ausgleich geht sie mit ihren Freunden viel radfahren, unternimmt Spaziergänge oder Wanderungen, den Sommer verbringt sie meist in Österreich, im Winter geht sie gern und oft Schi fahren.

Michael, 24 Jahre, Student an der TU

Michael lebt zusammen mit seiner Freundin, die bereits ihren Beruf als Physiotherapeutin ausübt, in einer kleinen Wohnung in Wien. Um sich sein Leben finanzieren zu können, arbeitet er für eine Computerfirma, da er das aber auf seinem eigenen Computer zu Hause macht, kann er sich seine Arbeitszeit selbst einteilen. Er bemüht sich, die Abende frei zu haben, um sie mit Christine, die gegen 17.30 Uhr nach Hause kommt, verbringen zu können, allerdings nicht immer nur in trauter Zweisamkeit in den eigenen vier Wänden, sondern auch regelmäßig mit Freunden vom Alpenverein. Bergsteigen ist zwar ein wichtiges Gesprächsthema, doch durchaus nicht das einzige. Neben dem regelmäßigen, alle zwei Wochen stattfindenden Treffen in den Räumlichkeiten der Alpenvereinssektion treffen sie sich häufig in einem In-Lokal der Innenstadt, gehen ins Kino oder zu sportlichen Aktivitäten, wie Konditionstraining oder Klettern in den meist überfüllten Kletterwänden des Wienerwaldes. Am Wochenende gehen Michael und Christine zu zweit oder mit einer kleinen Gruppe Bergsteigen, Klettern oder Schi fahren, je nach Wetter und Jahreszeit. Den Winterurlaub verbringen sie in den österreichischen Bergen, die Ferien im Sommer mit Aktivurlaub in Europas Bergen, am Meer mit Surfbrett und Schnorchel, oder sie sind mit Fahrrad, Zelt, Gaskocher und Rucksack irgendwo in der großen weiten Welt unterwegs. Die beiden haben schon viel gesehen und erlebt, sie nützen ganz einfach die Mobilität und ihre jugendliche Energie aus.

Philipp, 23 Jahre, Student der WU

Philipp lernt nebenbei noch Italienisch und wendet viel Zeit für sein Studium auf, um es möglichst bald zu beenden. Beim Lernen hört er immer Musik, verbringt freie Nachmittage gerne in Plattenläden, wenn er nicht mit seinem Freund Robert in der Tennishalle ist. Was ihm aber heilig ist, sind seine Ferien, zumindest ein großer Teil des Sommers ist der Entspannung in der Sonne am Meer geweiht. Sei es nun in Griechenland, an der Atlantikküste oder auf einer der spanischen Mittelmeerinseln, er genießt dort mit Freunden verpflichtungsfreie Tage, an denen er keinem Zwang unterworfen ist und mehr oder weniger tun und lassen kann, was er möchte. Lange wach bleiben, spät aufstehen, gut essen, viel trinken, Urlaubsbekanntschaften machen, schwimmen, braun werden, sich erholen und Kraft tanken für das kommende Studienjahr.

Diese Beispiele junger Menschen aus dem städtischen Umfeld zeigen ganz deutlich, daß sportliche Aktivitäten in der Hitliste der Freizeitbeschäftigungen ganz oben stehen – eine Tatsache, die kaum verwunderlich ist, wenn man bedenkt, daß moderne Berufe und auch die Ausbildung immer weniger körperliche Energien fordern.

Der Großteil der arbeitenden Bevölkerung geht einem Beruf nach, der mehr geistig, jedenfalls nicht extrem körperlich fordert. Dank zunehmender Mobilisierung gehen immer weniger Menschen längere Strecken zu Fuß, man wird immer bequemer. Aber vor allem Jugendliche brauchen einen Ausgleich. Außerdem ist Sport gesund, macht Spaß, hält fit und hilft, übermäßige Kilos zu vermeiden. Wer Sport treibt, liegt voll im Trend. Dazu kommt noch, daß es einem die Sport- und Freizeitindustrie sehr einfach macht, die bestgeeignete Sportart zu finden, das Angebot hält für jeden etwas bereit – für den sportlich geschickten, wie auch für den sportlich weniger talentierten Typ. Größere verfügbare Geldmittel und verkürzte Arbeitszeiten erhöhen die Nachfrage, das Angebot wird immer reichhaltiger, die Freizeitindustrie hat keinen Grund zur Klage. Sportgeräte und Sportbekleidung werden immer mehr zu Modeartikeln, für die man gerne viel Geld ausgibt. Der Kunde spezialisiert sich. Fuhren die Eltern noch zum Schifahren in die Berge, so wählen ihre Kinder zwischen Alpinschilauf, Variantenschilauf, Langlaufen, Big foot oder Snowboardfahren aus. Das Geschäft mit den Sportartikeln floriert! Neben Schifahren, Radfahren,

Ballspielen, Tennis spielen, Wassersport kommen von Zeit zu Zeit „neue" und „trendigere" Sportarten auf. Zu diesen zählen im Moment Squash, Mountain biking, Snowboarden, Badminton oder das Sportklettern. Sportarten, mit denen sich die heute ältere Generation einstmals die Zeit vertrieben und die ohne übermäßigen finanziellen Aufwand betrieben werden können, sind heute weniger gefragt.

Freizeit ohne Geld scheint immer weniger wert zu sein. Sport ist auch eine Frage des Prestiges. Der Alpinschilauf kostet zwar auch viel, wird aber mittlerweile von so vielen zumindest gelegentlich betrieben, daß er nun nichts Besonderes mehr darstellt; er erfährt seine Ausweitung und seine Varianten. Aus diesem Grunde und wohl, um den überfüllten Pisten zu entgehen, kommt der Tourenschilauf mehr und mehr in Mode. Heute genießen weitaus mehr Menschen, darunter vor allem junge, in farblich durchgestylter Gore-tex-Bekleidung „Natur pur". Da man immer etwas machen möchte, das einen von der Masse abhebt – man strebt danach, zu einer kleinen elitären Gruppe zu gehören (als Sonderling will man ja schließlich auch nicht gelten) –, erfreut sich das Sportklettern immer größeren Zuspruchs. War es einst jenen vorbehalten, die bereits Hunderte Höhenmeter hinter sich hatten und nun die letzten Meter über Felsen zum Gipfel kletterten, kann es jetzt nahezu jedermann in einem der vielen Klettergärten versuchen, ohne ein „Bergfex" sein zu müssen. Seitdem das Federballspiel „Badminton" heißt, wird es gerne in Schulen als Freifach angeboten; das Radfahren verzeichnet einen erhöhten Zuspruch; die neue Spielart des beliebten Tennisspieles ist „Squash". Nachdem die große Zeit von Aerobic vorbei ist, geht man heute im Grünen am Stadtrand joggen oder macht Gymnastik, Fatburning, Stretching und dergleichen. Der moderne Mensch hat fit zu sein, sportlich und schlank .

Freizeit, und hier in besonderem Maß der Sport, läßt sich instrumentalisieren und zur Erhöhung der persönlichen Marktchancen einsetzen. Die Zahl der Anwärter auf einen freien Arbeitsplatz wächst, die Qualifikation, die Spezialisierung und damit auch die berufliche Konkurrenz nehmen zu. Damit gewinnt auch die erotische Anziehungskraft immer mehr an Bedeutung, sie erlangt gleichsam Marktwert. Leistungs-, Investitions- und Konkurrenzelemente sind äußerst ausgeprägt, auch in der Freizeit kann der einzelne Karriere machen, diese ist nicht mehr zwingend an den Beruf gebunden.

Karriere wird nicht zufällig gemacht, es sind bestimmte Schritte im Lebensweg, die aufeinander aufbauen und aufeinander bezogen sind, der frühere Schritt ist die Bedingung für den nächsten. Zufall und Gesetzmäßigkeit können dabei höchst unterschiedlich verteilt sein. Im beruflichen Bereich stellt Karriere meist eine hierarchisch geordnete Abfolge von Positionen dar, die als um so erfolgreicher gilt, je günstiger das Verhältnis zwischen investierter Zeit und erreichter Berufsposition ist. Positive wie negative Karrieremuster steuern die beruflichen Anreize, üben gleichzeitig soziale Kontrolle aus, indem sie abweichende Muster, wie zum Beispiel Arbeitsverweigerer oder gewisse Formen von Selbstversorgern, an den Rand bzw. außerhalb des legitimierten beruflichen Spektrums stellen. Die unterschiedliche Bewertung von Berufspositionen erzeugt eine hohe Nachfrage nach besseren Stellungen, doch stehen dieser nicht genügend Stellen gegenüber, und das Marktungleichgewicht wird durch spezifische Einstiegskriterien für verschiedene Berufspositionen reguliert. Daher müssen für jeden Eintritt in eine Berufslaufbahn sowie für das Erreichen höherer Karriereniveaus meist vorgegebene Voraussetzungen erfüllt werden, etwa bestandene Matura oder Aufnahmsprüfung, (mit Auszeichnung abgeschlossenes) Studium bzw. Ausbildung und ähnliches. Allerdings führt die Erfüllung dieser Kriterien nicht notwendigerweise zum beruflichen Aufstieg. Zum einen muß die begehrte Stelle vorhanden sein, zum anderen muß sich der Anwärter dem Konkurrenzkampf von Mitbewerbern aussetzen, und daß dieser Kampf nicht alle Bewerber gleichstellt, zeigt die Praxis.

Karrieren sind freilich nicht auf den beruflichen Bereich beschränkt – sie lassen sich vielmehr auch in anderen Lebensbereichen nachzeichnen, und man vermutet, daß im Freizeitbereich Karrieren zunehmend auch mit bestimmten Absichten geplant und betrieben werden. Daneben findet man ohne Zweifel auch offene, nicht-intendierte, nicht-instrumentalisierte Lernerfahrungen und Lernprozesse, denen für die Aktiven ihre eigene Sinnstruktur, Rationalität und ihre eigene Qualität innewohnen. Freizeitaktivitäten tragen den subjektiven Sinn nicht notwendigerweise in sich selbst, sondern können auch als Mittel zum Zweck außerhalb ihrer selbst eingesetzt werden. So kann Sport beispielsweise neben der unmittelbaren Befriedigung gewollte Veränderungen der ästhetischen oder erotischen Ausstrahlung von Personen herbeiführen. Neben dem „wahren" Body-Builder, der regelmäßig und leistungsorientiert trainiert, gibt es etwa auch den Typ, der seine Aktivität als Ausgleich oder Ergänzung zu anderen Sportarten oder zur Verbesserung seines Körperbaus, also zur Steigerung seiner ästhetischen Erscheinung bzw. erotischen Attraktivität einsetzt. Gleiches trifft auf so gut wie alle Sportarten zu. Joggen, Stretching und Gymnastik dienen dazu, überflüssiges Fett abzubauen, Krafttraining, um die Muskeln zu stählen etc. Der schlanke, sportliche Typ ist gefragt. Mode wird größtenteils für superschlanke bis spindeldürre Gestalten konzipiert, die dann das Idealbild einer guten Figur verkörpern, und da jeder dem Ideal entsprechen möchte, das Erfolg garantiert, hungert sich so manche(r) durchs Leben und/oder treibt viel Sport, um frisch und aktiv zu bleiben.

Freizeitaktivitäten können soziale Anerkennung in Gruppen sichern. Das mag in vielen Fällen das eigentliche Motiv für die Beteiligung darstellen, da die erzielte Anerkennung auch zu mehr Akzeptanz in anderen Lebensbereichen führen kann.

Ein weiterer wichtiger Aspekt ist der Aufbau von potentiell nützlichen Beziehungen, die Bildung von sozialem Kapital, bei der die Freizeitaktivität als solche fast in den Hintergrund tritt. Maßgeblich ist das Umfeld, es sollen Verbindungen zu Personen des öffentlichen oder politischen Lebens bzw. zu Personen mit Macht, Geld und Einfluß geknüpft werden. Häufig wird die Teilnahme an derartigen Aktivitäten einfach gesellschaftlich erwartet.

Das mag jetzt vielleicht negativ klingen („Freizeit wird ausgenutzt"), doch so ist es nicht gemeint. Im Berufsleben wird heute über bestimmte, berufsorientierte Qualifikationen hinaus einiges gefordert: Zielstrebigkeit, Originalität, Vitalität, jugendliches Image. Das ist eine große Chance für die kreative, aktive Jugend, die gewillt ist, etwas zu leisten. Häufig kommt es weniger auf Erfahrung an als darauf, Neues einzubringen und frischen Wind in eine starre Struktur zu bringen. Die Wirtschaft sucht dynamische Jugendliche; immer mehr Firmen wenden sich mit ihren Produkten an Jugendliche, die als Konsumenten immer wichtiger werden und in ihrer Kaufkraft der Erwachsenenwelt kaum nachstehen. In der Mode etwa sprechen gewisse Produkte gezielt nur Jugendliche an. Allerdings setzen auch Personen fortgeschrittenen Alters auf jugendliches Aussehen, jugendliches Outfit, jugendliches Verhalten.

Nicht nur in Schule und Beruf, sondern auch und nicht zuletzt in der Freizeit werden Leistungen erbracht und Menschen nach eben diesen Leistungen bewertet. Gewiß ist Leistung nicht das einzige Kriterium, nach dem wir Menschen bewerten, auch Sympathie und Antipathie spielen eine nicht unbedeutende Rolle. Und doch spiegelt die Freizeitgestaltung eine Dynamik wider, die dann im Beruf erwartet werden kann.

Der Besuch von bestimmten Kultur- und Sportveranstaltungen zählt zum „Pflichtprogramm" eines jeden Politikers, sich als Mitbürger dort sehen zu lassen und so „bekannt" zu werden, kann nur von Vorteil sein. Leitende oder interessante Positionen liegen nicht auf der Straße, sie werden nicht wie frische Semmeln zum Verkauf angeboten, sondern man muß sie suchen, ein oft schwieriges und mühsames Unterfangen. Man muß wissen, wo und wann etwas angeboten wird, man muß sich die Zeit nehmen, dies ausfindig zu machen, und sich in der Folge um eine systematische Nutzung solcher Kontakte kümmern, also auch eigene Initiativen ergreifen. Sieht und erlebt die Umwelt, in welcher Form jemand um das Erreichen von Karrierezielen bemüht ist, wird sie darauf reagieren. Ein Unbekannter wird kaum mit herausfordernden Aufgaben betraut werden. Dort, wo sich das Interesse auf Karriere richtet, ist man beinahe gezwungen, die Freizeit so zu gestalten, wie es erwartet wird. Zum quälenden Zwang wird ein vernünftiger Mensch die Freizeitgestaltung allerdings nicht werden lassen.

Reisen ist und wird nicht nur für Jugendliche immer wichtiger, die wenigsten verbringen die Ferien gerne zu Hause, sondern sie nützen die freien Tage, um neue Länder, fremde Sitten, andere Kulturkreise kennenzulernen. Gerade die Jugend ist äußerst reisefreudig, mag das Reiseziel Frankreich, Australien, Skandinavien, die USA, die Karibik oder Österreichs Bergwelt sein, mögen die individuellen Vorlieben oder die finanziellen Möglichkeiten auch noch so unterschiedlich sein und die Reisegewohnheiten auf den ersten Blick sehr differenziert scheinen, so ist doch die Sehnsucht nach Umgebungswechsel, der Traum von der Ferne und dem Anderssein allen gemeinsam.

Der Drang nach Freiheit und Selbständigkeit in der jungen Generation führt unter anderem dazu, daß für viele das Alleinreisen bereits im Kindesalter beginnt. Natürlich reisen Kinder nicht wirklich „allein", doch stehen etliche Alternativen zum Familienurlaub zur Verfügung, die ein immer größer werdender Teil der Bevölkerung in Anspruch nimmt. Nicht nur, weil berufstätige Eltern oft keine Zeit für einen gemeinsamen Urlaub mit ihren Kindern haben, verbringen schon Schüler die Ferien oder einen Teil davon ohne die übrige Familie. Die Interessen und Ansprüche an einen Urlaub von Erwachsenen, Kindern und Jugendlichen sind heute zu unterschiedlich, als daß sie sich problemlos unter einen Hut bringen ließen. Gleichaltrige Spielgefährten sind interessanter, das Auskommen mit Gleichaltrigen kann auf diese Weise erlernt werden, in Kindercamps bietet man den kleinen Feriengästen einen gewissen Freiraum, sie werden unterhalten, körperlich und geistig gefordert. Lager und Ferien für Kinder bieten Sportvereine, politische Vereinigungen, Gemeinden oder Bildungsinstitutionen an, die in der Regel weitab der Großstädte auf dem Land, im Gebirge oder an einem See stattfinden, in Zeltlagern oder eigens dafür errichteten Kinder- oder Jugendheimen, wo sich Betreuer, meist jünger als die Eltern der Kinder, um die Buben und Mädchen kümmern. Diese Art der Ferien findet ihre Fortsetzung in den Jugendlagern, bei denen sich die Altersdifferenz zwischen Betreuern und Betreuten meist noch weiter verringert und damit ein Gefühl von Freiheit und Selbständigkeit vermittelt, da die Älteren keine streng autoritäre Position einnehmen. Ein Großteil dieser Lager findet im eigenen Land statt.

Neben „Lernferien“, recht kostspieligen Gruppenlagern mit gezielter Lernbetreuung durch geschulte Lehrer, werden „Sprachreisen“ immer häufiger und üblicher. Schüler sollen die fremde Sprache direkt im jeweiligen Land lernen bzw. verbessern, indem sie mit den Menschen jenes Kulturkreises leben und so neben der Sprache auch noch Bräuche und Sitten vermittelt bekommen. Sprachferien bieten verschiedene kommerziell geführte Organisationen in diversen Varianten an. Zwar stehen die Schüler unter Aufsicht, wie es auch das Gesetz vorschreibt, doch können sie sich meist freier bewegen als im Rahmen der eigenen Familie. Neben organisierten Jugendreisen während der Ferien, wurden auch Schulsportwochen, Schulschikurse, Schullandwochen, mehrtägige Exkursionen und Wandertage als Auflockerung des Schulalltags sowie zur Förderung eines besseren Verhältnisses zwischen Lehrern und Schülern eingeführt, es liegt also ganz im Trend der Zeit, daß Jugendliche ohne Eltern verreisen.

Die in früheren Jahrzehnten so beliebte Form des Reisens als Autostopper ist heute selten geworden. Die Autostopper der Hippie-Zeit, die allein, maximal zu zweit, etwas von der Welt sehen wollen, ohne dabei allzuviel Geld ausgeben zu müssen, und einfach ins Ungewisse reisen, sind von den Autobahnen verschwunden. Jugendliche ziehen es heute vor, in Gruppen zu verreisen, und streben auch in der Freizeit meistens nach Komfort und Standard. Dem kommen die günstigen Angebote der Reisebüros entgegen. Doch auch die größte Welle der Rucksacktouristen, die mit „Interrail-Ticket" ganz Europa erforschten, ist eindeutig vorbei. Pärchen oder gute Freunde, die zu zweit ein Stück der Welt sehen wollen, nehmen dieses recht günstige Angebot der Bahn wahr, für einen gewissen Betrag auf allen Bahnstrecken fahren zu können, aber die Zahl derer, die, erschöpft auf ihren Rucksäcken hockend, die Nacht im Gang des Schlafwagens zubringen wollen, nimmt stark ab. Im allgemeinen wird die Bahn als zu teuer und unkomfortabel, besonders für große Distanzen, empfunden. Wenn das Flugticket nicht viel teurer als eine Bahnkarte ist, wird natürlich das schickere Transportmittel gewählt.

Angesichts dieser zunehmenden Reiselust stellt sich natürlich unweigerlich die Frage, mit welchen Mitteln Jugendliche ohne Einkommen den Urlaub finanzieren. Ich weiß von vielen Jugendlichen, daß sie bereit sind, für das Reisen beträchtliche Summen auszugeben, und es kommt nicht selten vor, daß sie vor oder nach dem Urlaub vier bis sechs Wochen arbeiten, um sich den Urlaub leisten zu können.

Es gibt natürlich auch Jugendliche, die kein Interesse an regelmäßigen Investitionen in Freizeit- und Sportbekleidung haben, die es aber einmal im Jahr in die Ferne zieht, wo sie das große Naturerlebnis zu finden hoffen. Radfahren in Frankreich, Bergsteigen in Kanada, mit dem Zelt durch Skandinavien – ein derartiger Abenteuerurlaub zieht viele an. Der Urlaub darf dann viel kosten, wenn das Preis-Leistungsverhältnis stimmt. Für einen Urlaub in Österreich zum Beispiel wäre kein Student oder junger Berufstätiger bereit, 25.000 Schilling auszugeben, für eine Reise nach Australien oder Amerika dagegen schon, und mehr sogar. Vor allem junge Menschen wollen etwas von der Welt sehen.

Städteflüge mit Shopping in Amerikas größten Geschäftsstraßen, Badeurlaube in Florida oder der Karibik oder die Autofahrt über die endlosen Highways, die Spielhallen und Casinos von Las Vegas oder die Einsamkeit der beeindruckenden Canyons oder der endlosen Weiten

Arizonas, all das hinterläßt prägende Spuren in den Menschen der „alten Welt."

Australien liegt noch mehr Flugstunden entfernt als Amerika, doch werden weder Strapazen noch Kosten einer solchen Sommerreise gescheut. Der fünfte Kontinent und seine vielfältigen Reize werden von den Europäern mehr und mehr entdeckt. Unter den Australien-Reisenden findet man vorzugsweise Studenten, denen es möglich ist, gleich die Monate Juli, August und September dort zu bleiben, um dreimal dreißig Tage Zeit zu haben, Gegend und Leute kennenzulernen. Afrika, das angeblich einstige Traumziel früherer Generationen, die dort auf Safari oder Fotosafari gingen, ist schlichtweg „out", ebenso wie Indien und der Ferne Osten, die Pilgerstätten der Hippie-Generation.

Süd- und Westeuropa sind auch in Zeiten des Sparpakets die beliebtesten Ziele junger Menschen. Die Palette an Erholungsurlauben, Sprachreisen und Badeaufenthalten, zu Sonderpreisen angeboten, ist noch immer unerschöpflich. Die Öffnung des eisernen Vorhanges zu Osteuropa führte wider Erwarten nicht zu einer Verlagerung des Tourismus in die Länder Ost-und Südeuropas, besonders junge Menschen scheinen dieser Gegend nichts abgewinnen zu können, zumal man auch um die fragwürdigen Verhältnisse mancher Regimes weiß. Für die Kultur, die etwa die ehemaligen Residenzstädte Moskau oder St. Petersburg bereithalten, interessiert sich die junge Generation kaum. Kulturelle Stätten werden zumeist erst für ältere Menschen attraktiv.

Studien über die Gestaltung des Sommerurlaubes[6] zeigen überaus deutlich, daß der Badeurlaub hier dominiert; 58% (Mehrfachnennungen waren möglich) der jungen Leute sprechen ihm zu, darunter allerdings zum größten Teil Berufstätige und Verheiratete, die wohl gerne die Angebote der Touristenorte am Mittelmeer wahrnehmen. Hinter dem Urlaub am Meer oder an Badeseen rangieren Erholungsurlaube (33%), Abenteuerreisen (29%), Vergnügungsreisen (23%), Sporturlaube

[6] Jugend und Tourismus. Jugendwertstudie. Sonderauswertung für die Österreichische Fremdenverkehrswerbung. Hrsg. von dem Österreichischen Institut für Jugendkunde, o. O., 1992, S. 5ff

(22%), Studien- und Bildungsreisen (15%), (Sprach-)Kurse und Aktivprogramm (8%), Gesundheitsurlaube (7%) und der Besuch von Verwandten und Bekannten (4%). Studenten bzw. Personen mit höherer Bildung tendieren vor allem zu Badeurlaub, aber mehr noch zu Abenteuer, Bewegung, Aktivität und Aktion. Sie reisen auch zu Studien- und Bildungszwecken. Sommerstipendien, günstige Angebote von Schulen, Universitäten und Organisationen sowie Austauschprogramme werden immer mehr in Anspruch genommen; hat man nicht die Möglichkeit, ein ganzes Semester oder gar mehrere in einer anderen Universitätsstadt zu verbringen, so nützt man die Sommermonate. Sprachen sind in der heutigen Zeit schließlich für jedermann von Wichtigkeit, nicht nur für die Philologiestudenten, sondern auch für Juristen, Wirtschaftswissenschaftler und Techniker, besonders seit Österreichs Beitritt zur EU.

Hauptwunsch aller jungen Menschen im Zusammenhang mit Urlaub ist, frei und ungezwungen zu sein. Entspannung, Ablenkung vom Alltagsleben, faulenzen, genießen, eine angenehme Atmosphäre erleben, darum geht es zu allererst. Daneben zeigt aber besonders die Jugend einen großen Drang zu Aktivität, man möchte Neues sehen, erleben und sich darüber hinaus noch körperlich betätigen, also Sport treiben, oder viele Kontakte knüpfen und andere Menschen kennenlernen. In ihren Einstellungen zum Urlaub zeigt die Jugend ein unerwartet einheitliches Bild, natürlich sind gewisse Grundeinstellungen auf den persönlichen Lebensstil zurückzuführen, nicht aber auf sozialdemographische Merkmale wie Geschlecht, Alter, Herkunft, Beruf – in diesem Sinne ergeben sich wenig Abweichungen zwischen den Unter-20jährigen und den 30jährigen oder zwischen Stadt- und Landbevölkerung.

Der ökologische Aspekt rückt zunehmend in den Vordergrund. Dort, wo man Gefahr läuft, auf allzu große und offensichtliche Umweltschäden zu treffen, möchte man seinen Urlaub nicht verbringen. So wird die Erhaltung einer intakten Umwelt eine ganz wesentliche Voraussetzung, in Zukunft Personen jüngeren Alters als Urlaubskonsumenten anzusprechen. Wärme und sonnige Atmosphäre stehen ganz hoch im Kurs – trotz der bekannten Gefahren durch zuviel Sonnenbestrahlung. Das Verlangen nach Sonne und Braunwerden als Erbe des Schönheitsideals der letzten Jahrzehnte ist noch nicht abgelöst.

Urlaubsland Österreich, auch für junge Menschen? Im Winter auf jeden Fall! 69%[7] der Jugend, darunter vor allem Schüler und Studenten, und Menschen aus höheren Schichten, betreiben in ihrem Winterurlaub Sport, vorwiegend Schifahren, und das weniger in den großen Zentren in Val d'Isere oder den Schweizer Nobelorten bei St. Moritz, sondern in den österreichischen Alpen. Das mag mehrere Gründe haben, etwa Kosten und Aufwand der Anreise für einen kurzen Urlaub. Nachweisbar ist aber auch, daß man mit Österreich als Winterurlaubsland sehr zufrieden ist. Es gibt Berge, schöne Schigebiete, Pisten für Anfänger und den sportlichen Fahrer, Infrastruktur, die auch für den Abend etwas bereithält, und von der preiswerten Unterkunft bis zum Nobel-Hotel für den anspruchsvollen Gast ist alles vorhanden. Die Schneelage bereitet dem Wintersportler seit einigen Jahren in manchen Schigebieten freilich etwas Sorge. Bliebe der Schnee ganz aus, so würden immerhin 41% der Urlauber[8] auf den Winterurlaub überhaupt verzichten, etwas mehr als ein Drittel (35%) würde in den wärmeren Süden reisen, und nur 22% würden ihren Urlaub weiterhin in Österreich verbringen. Kritisch betrachtet bedeutete das Ausbleiben des Schnees den Ruin für den Winterurlaubssektor und den Tourismus, allerdings sind 55% der Befragten der Ansicht, daß die Attraktivität Österreichs als Urlaubsland weiter zunimmt, und zwar im Winter wie im Sommer. Eine Tourismusbranche mit Phantasie hat keinen Grund zu verzweifeln. Zwar stehen den 73%, die ihren Winterurlaub in Österreich verbringen, nur 14% gegenüber, die im Sommer „daheim" bleiben, doch da sportliche bzw. körperliche Betätigung im Urlaub einen immer größer werdenden Stellenwert einnimmt, bleibt zu hoffen, daß die Zahl noch steigt. Österreich ist nämlich auch Sportland für junge aktive Sommerurlauber. Kulturdenkmäler und die Sehenswürdigkeiten, von denen Franzosen und Amerikaner so schwärmen, locken unsere Jugendlichen allerdings weniger, sie interessieren sich mehr für die Badeseen, die Tennisplätze, Radrouten und Berge. Surf- und Segelkurse, Reitwochen, Wildwasserfahrten, Tenniscamps, Bergferien, Kletterkurse, Mountain biking, Höhlenfahrten... Aber in späteren Jahren kommt auch dieser Generation der Appetit auf Mozart und Schnitzler, auf Lockenhaus, Ossiach und Reichenau.

---

[7] ebd. S. 5ff

[8] ebd., S. 29ff

Es dürfte wohl jedem klar sein, daß der Tourismus als Wirtschaftszweig für Österreich sehr wichtig, ja unverzichtbar ist. Die Jugend glaubt an dieses Land als Reiseland aber nur dann, wenn der Tourismus im Einklang mit den Bedürfnissen der Bevölkerung und der Natur betrieben wird. Sie lehnt jeden rücksichtslos rekordorientierten, quantitativen Ausbau des Tourismus ab und verlangt, daß die Freizeit wirtschaftlich nicht wachstumsorientiert, sondern qualitativ gefördert werden soll. Erhaltung bzw. Wiederherstellung der Umwelt, „sanfter Tourismus", keine weiteren Gewalteingriffe in die Natur durch riesige Liftanlagen oder Hotelkomplexe in Gletscherregionen: Das sind unabdingbare Forderungen der heutigen Generation, und wer wollte bestreiten, daß sie damit klüger als ihre Vorgänger geworden sind.

Freizeit als Entspannung, Freizeit als Ausgleich zum Beruf, Freizeit als positiver Kontrast zum Alltagsleben, Freizeit für Selbstverwirklichung: Das sind die Werte, die heute eine bestimmende Rolle spielen. Ich finde, man sollte der Jugend für eine solche Haltung Beifall spenden.

In der Hektik und dem Streß der heutigen Zeit ist Freizeit sicherlich von großer Bedeutung für den Menschen selbst.

Die Jugend definiert sich in gewisser Weise über den (Freizeit-)Konsum und hat immer mehr Qualitäts- und Markenbewußtsein. Shopping bedeutet Lebenslust, verhindert Langeweile. Das Wissen um das, was „in" ist, beeinflußt die Kaufentscheidung in der Familie und begründet somit eine Innovationsdynamik. War 1986[9] modische Freizeitbekleidung für 55% der Jugendlichen wichtig, so war diese Zahl 1993 auf immerhin 71% angestiegen, wobei hier sicherlich der „Gruppenzwang" eine nicht unbedeutende Rolle spielt. Daß immer höhere Ansprüche an die Freizeitbeschäftigungen gestellt werden, wirkt sich folglich nicht nur auf die Qualität der Freizeit und auf die Zufriedenheit der jungen Menschen aus, sondern auch auf ganze Wirtschaftszweige.

Fazit: Es gibt so etwas wie Gesetze der freien Zeit! Ein Widerspruch in sich? Keineswegs. – Wir müssen uns bewußt machen, daß Freizeit

---

[9] Geretschläger, a. a. O., S. 33

nicht nur mit Freiheit assoziiert werden darf, auch wenn die Wortverwandtschaft und herkömmliche Vorstellungen dies nahelegen mögen.

Freizeit bedeutet zwar eine Art von Ungebundenheit, diese freie Zeit ist aber gleichzeitig Gesetzmäßigkeiten biologischer, ökonomischer, psychologischer und soziologischer Art unterworfen.

Gemäß der allgemeinen Meinung können wir einmal davon ausgehen, daß sich Freizeit vor allem von der Zeit abhebt, die man mit auf Verdienst gerichteter Berufstätigkeit bzw. mit Ausbildung und Studium verbringt. Die meisten werden auch einverstanden sein, physiologisch notwendige Handlungen, wie Schlafen, Essen, Trinken etc., grundsätzlich nicht zu den Freizeittätigkeiten zu zählen. Nach Abzug dieser Tätigkeiten bliebe eine freie Zeitspanne übrig, die jedoch im Bewußtsein vieler Leute noch immer nicht gänzlich als echte Freizeit registriert wird, weil darin noch vieles enthalten ist, was lästig oder verpflichtend und nicht als „frei“ empfunden wird. Doch wissen wir alle, daß der Mensch heute von den Zwängen der Kultur bestimmt wird und er auch in der Freizeit nicht einfach machen kann, was er will, es sei denn, daß er nur das will, was ihm das Leben ohnehin auferlegt. Freizeitverhalten wird heute diktiert von den eigenen Wünschen, vom Verlangen nach Sozialprestige, von der Werbung der Reisebüros und von den eigenen finanziellen Möglichkeiten, von den Erwartungen der Gesellschaft, von den Bedürfnissen der Familie und von anderen Faktoren.

Diese Tatsache wird oft beklagt, und man fordert die Erziehung des modernen Menschen zu größerer Unabhängigkeit gegenüber solcher Manipulation. Aber was wäre damit wirklich erreicht? Wäre ein Urlaub wirklich schöner, wenn man sich ganz unbeeinflußt für ein verstecktes Dorf entscheiden würde, wo es dann vielleicht die halbe Zeit regnet, als wenn man in den sonnigen Süden fährt und die Dienstleistungen einer routinierten Fremdenverkehrsorganisation in Anspruch nehmen kann? Wäre es wirklich ein Vorteil, wenn ein junger Mann sich immer nur mit ein paar anderen zum Kartenspiel zusammenfände, anstatt unter „Sozialzwang“ den Fußballplatz zu besuchen? Es scheint gar nicht so selbstverständlich, daß das Leben unbedingt sinnvoller und menschlicher wäre, wenn man alle Uniformierungen vermeiden würde. Auch das Bedürfnis nach Sozialprestige, nach Mode und nach Uniform ist ein sehr menschliches und, so paradox das klingen mag, es muß zur

Freiheit des Menschen gehören, sich auch bestimmten Einflüssen der Gesellschaft überlassen zu dürfen.

Arbeit und Freizeit können aber nicht einfach wie Unfreiheit und Freiheit zueinander in Beziehung gesetzt werden, da auch Arbeit Ausdruck und Verwirklichung menschlicher Freiheit ist, und zwar nicht nur da, wo man ohne Abhängigkeit von irgendeiner Autorität tun kann, was man selbst will, sondern auch dort, wo sich der Mensch in einen arbeitsteiligen Prozeß eingliedert und sich damit einer fremden Leistung unterstellt. Insofern Arbeit Verwirklichung dessen ist, was man sich selbst zum Ziel gesetzt hat, kann sie nicht einfach als Unfreiheit gelten. Umgekehrt kann Freizeit nicht nur als reiner Ausdruck von Freiheit angesehen werden.

Befriedigung in unseren beruflichen Aktivitäten zu finden, wäre ein allgemein erstrebenswertes Ziel. In diesem Sinn könnte auch jeder Job-Wechsel eine Ausweitung der persönlichen kreativen Möglichkeiten für jeden darstellen. Trotzdem wissen wir, daß das Gros der Berufstätigen ihren Arbeitsplatz oder ihre Position nicht so leicht gegen ein anderes Arbeitsfeld eintauschen möchte, da die Furcht vor dem Neuen und Versagensängste große Hemmnisse darstellen. Der durchschnittliche Arbeitnehmer bleibt lieber bei seinem Leisten, aber nicht, weil er so zufrieden ist, sondern weil die Angst, in einer neuen Tätigkeit zu scheitern, größer ist als der Wunsch zur Veränderung. Identifikation mit dem Beruf war früher vielleicht eher gegeben als heute, doch gab es auch mehr in ihren Berufen zufriedene Menschen? Die Frage nach der Befriedigung stellte sich in früheren Zeiten nicht in dem Maß wie heute. Das allgemeine Credo lautete dereinst: Das Leben ist nicht dazu da, daß wir Spaß daran haben, sondern daß wir unsere Pflichten erfüllen. Das Thema der individuellen Befriedigung und der Selbstverwirklichung ist ein Produkt des Individualismus unserer Tage. Diese neue Bewegung, deren Ziel die optimale Selbstverwirklichung jedes einzelnen ist, macht aus unserer Gesellschaft eine „Brot-und-Spiele-Gesellschaft“.

Der Beruf dient den meisten Menschen nur dazu, sich ihr „Brot zu verdienen“, er ist nur ein Mittel zur Existenzsicherung, bietet aber zuwenig Selbstverwirklichungsmöglichkeiten. Die so heiß begehrte Befriedigung persönlicher Interessen wird in den Freizeitbereich verlegt. Interessen, Neigungen und lustvolle Kreativität werden im

Urlaub oder im Hobby ausgelebt. Was dem einen der Urlaub auf den Bahamas, ist dem anderen die Ausgestaltung des Eigenheimes oder eine karitative Tätigkeit. Der allgemeine Trend ist heute eine demonstrative Zweigleisigkeit des Arbeits- und Freizeitlebens. Nur wenigen gelingt eine schöpferische Symbiose von Brotverdienst und Selbstverwirklichung. Auf eine Kurzformel gebracht, könnte man vielleicht sagen: Unsere Väter lebten, um zu arbeiten, während wir heute arbeiten, um zu leben. Unsere Ansprüche steigen, die Berufsarbeit kann zwar den materiellen Teil abdecken, aber nicht immer den ideellen. Sinnfindung und Selbstverwirklichung wie auch soziales Engagement müssen, so der Beruf nicht genügend Befriedigung bietet, in den Freizeitbereich verlegt werden. Freizeit ist mehr als Urlaub und Entspannung. Wenn sich die Grenzen zwischen Arbeitszeit und Freizeit in Zukunft verschieben und wenn wir mehr Qualität in beiden Bereichen erlangen wollen, werden wir auch bewußter mit unserer Zeit umgehen müssen. Aus der Verkürzung der Arbeitszeit, wie sie prognostiziert wird, ergibt sich zwingend, daß wir künftig noch mehr Stunden in der Woche zur „freien" Gestaltung zur Verfügung haben werden. Das Freizeit-Marketing, das zur Zeit noch eine große Rolle spielt, könnte sich verlagern. „Die Freizeit wird das Feld des Ichs und des Selbstvergessens"[10], in der die Menschen ihr Ich suchen. Das behauptet der Trendforscher Gerken. Freizeit wird wohl auch weiterhin organisiert werden, aber noch mehr wird sie der sinnlichen Erfahrung, der Ich-Entdeckung und der neuen Persönlichkeitskultur dienen.

[10] Gerken, Gert, a. a. O., S. 77

DIE STADT: SCHÖPFEN AUS LEBENDIGER VIELFALT

Alles, was uns umgibt, ist so vielseitig,
so unergründlich, daß es uns niemals
gelingen wird, alles zu erfassen und bis
in alle Einzelheiten wahrzunehmen. Deshalb
entscheiden wir dauernd, ob bewußt oder
unbewußt, was wir wahrnehmen und was wir
übersehen.

Carlos Castaneda

Wir lieben heute mehr als je zuvor das Land: gute Luft und saubere Seen, Bergwandern und unberührte Natur. Wer wollte ernsthaft dagegen etwas sagen, wenn er gleichzeitig an den Auto-Stau auf der Wiener Tangente, die Aggressivität im städtischen Verkehr und die Kriminalität denkt? Ich frage mich nur: Muß man, wenn man gern aufs Land fährt, die Stadt hassen?

Meine ganz persönliche Antwort lautet: Nein! Ich liebe die Stadt. Ich liebe Wien mit allen seinen Fehlern, Schwächen – und Möglichkeiten!

Richard Sennett, Professor für Sozialwissenschaften am „Center for Humanistic Studies" der New York University meint, Städte seien „Agenturen des sozialen Wandels".[1] Sie sind Brutstätten des Werdenden und Monumente des Gewordenen. Die Großstadt definiert sich als anregende Vielfalt von Menschen mit allen nur erdenklichen Unterschieden in Alter, Bildung, Lebensgeschichte, religiösem Bekenntnis und Geschmack. Die Kraft von Städten, ihr jeweils spezielles Flair erwächst aus deren Mannigfaltigkeit. Die Vielfalt großstädtischer Kultur muß als Chance begriffen werden – als Chance selbst zu bestimmen,

[1] Sennet, Richard: Verfall und Ende des öffentlichen Lebens. Die Tyrannei der Intimität, Frankfurt 1986

in welcher Welt wir zukünftig leben wollen. Die Stadt bietet sich als Ort der Selbstbestimmung, der Träume, der Möglichkeiten an.

Sich diesen Reizen, Einflüssen und Veränderungen permanent auszusetzen, erfordert die Bereitschaft, sich mit der „Welt" an sich auseinanderzusetzen. Die Dichte jeder Großstadt zwingt jeden einzelnen, der in ihr lebt, sich auf seine Umgebung einzulassen. Konstruktivität bedeutet aber auch, die Städte, die wir bewohnen und die vorwiegend noch geprägt sind von der Lebensform des 18. und 19. Jahrhunderts, unseren zeitgemäßen Bedürfnissen anzupassen. Urbane Traditionen sind diskontinuierlich. Nicht starre Strukturen sind typisch, sondern ein permanentes Fließen und Ineinanderübergehen. Eine zeitgemäße Stadtplanung hat gerade darauf Rücksicht zu nehmen. Die Schwierigkeit, Altes zu bewahren und gleichzeitig Neues entstehen zu lassen, wird nirgends so offensichtlich wie gerade in der Städteplanung.[2]

Daraus erwächst die Notwendigkeit, alte Substanz in neue Konzepte einzubetten. Die Architektur muß dem Rechnung tragen, und sie muß versuchen, ein Bewußtsein für urbane Zusammenhänge zu schaffen. Nicht das einzelne Bauwerk als Design oder Studie soll dominieren, sondern die Gesamtheit des urbanen Umfeldes muß berücksichtigt werden. Historische Substanz zu erhalten, soll ebenso ein Anliegen sein wie das Anpassen des gewachsenen Umfeldes an aktuelle Bedürfnisse. Komfort sollte nicht das einzige Ziel bei der Gestaltung des Lebensraumes sein. Eine sterile Ästhetik des Stadtbildes bietet keinen Raum, sich daran zu reiben. Reibung aber bedeutet nicht immer Konflikt, sondern notwendige Entwicklung. Die Mischung erzeugt das lebendige Stadtbild, aus der wechselseitigen Verschränkung unterschiedlicher Aspekte erst entsteht Leben. Der Zwang, alles einordnen zu müssen, jedem einzelnen, jeder Gruppe, jedem Gewerbe seinen fixen Platz zuzuordnen, erzeugt zwangsläufig Ghettos und damit alle hinlänglich bekannten Probleme, die jede Ghettoisierung mit sich bringt. Im Schlepptau einer solchen fatalen Entwicklung entstehen große soziale Konfliktpotentiale. Rund um ein historisches Zentrum reihen sich tote Satellitenstädte. Bei jedem Eingriff in die Komplexität einer Stadt ist auch zu berücksichtigen, daß die historischen Zentren wirklich Orte

[2] Vgl. dazu auch Flanagan, William G.: Contemporary Urban Sociology, Cambridge 1993; und Sennet, Richard: Civitas - Die Großstadt und die Kultur des Unterschieds, Frankfurt 1991

urbanen Lebens bleiben und nicht zum unbewohnten Museum oder zur romantischen Kulisse für die Tourismusindustrie verkommen. Das heißt nicht, bestimmte bezirksspezifische Eigenheiten aufzugeben, sondern Interaktion zu fördern. Weitsichtige Stadtplanung bedeutet aber auch, gegebene Strukturen nicht als starr und unverrückbar anzusehen, sondern diese mit Bedacht, behutsam aufbauend und reformierend, den zeitgemäßen Erfordernissen anzupassen.

Stadt ist aber nicht nur verdichteter Lebensraum, sondern auch Kultur im wahrsten Sinne des Wortes. Der Begriff „Kulturhauptstadt" transportiert andere Nuancen als das Wort Metropole.

Nach Athen, Florenz, Amsterdam, Berlin, Paris, Glasgow, Dublin, Madrid, Antwerpen und Lissabon war Luxemburg 1995 Kulturhauptstadt Europas. Initiiert haben dieses langjährige Projekt die ehemalige griechische Kulturministerin Melina Mercouri und der damalige französische Kulturminister Jaques Lang 1985. Die Vielfalt der europäischen Kultur sollte dargestellt und konzentriert erlebbar gemacht werden.

Main Stations nannte sich eine Ausstellung im Casino Luxembourg. *Main Stations*, hieß es im Pressetext, steht für Aufbruch, Veränderung, die Eröffnung neuer Sichten. Und weiter: *Main Stations* ist die Metapher für die großen Neuerungen in der Kunst seit 1950. In der Ausstellung wurden Meisterwerke der zweiten Hälfte unseres Jahrhunderts gezeigt. Konzentriert präsentierte man unterschiedliche Aussagen und Sinneseindrücke von Künstlern, denen eine zentrale Rolle als „Anreger" in diesen letzten Jahrzehnten zukommt. Für den Besucher ergab sich eine Situation, in der er, Raum für Raum, die entscheidenden Schritte der Kunst seit 1950 nachvollziehen konnte – Schritte hin zu einer entscheidenden Erneuerung.

Eindrucksvoll wurden die großen Veränderungen in den klassischen Medien Malerei und Skulptur vermittelt. Auch die Einführung neuer Ausdrucksformen wie Installation und Video war deutlich nachvollziehbar. Die Idee hinter diesem Ausstellungskonzept ist ebenso simpel wie schlüssig. Aus einem qualitativ hochwertigen Konzentrat läßt sich eine sehr komplexe Entwicklung kurz und prägnant erklären. Die Ausstellung versammelte Stil- und zeitprägende Meisterwerke und bot damit dem Besucher eine enorme Chance, den eigenen Horizont zu erweitern, eigene Visionen zu entwickeln. *Main Stations* als Metapher für die Neuerungen seit 1950 zeigte aber auch, wie Visionen verwirklicht werden können. Gerade die Summe wesentlicher Einzelpositionen der unmittelbaren Vergangenheit regt an, eigene Lebensentwürfe zu entwickeln. Die Art und Weise, in der in Luxemburg Geschichte aufgearbeitet und präsentiert wurde, ist vorbildlich und nachahmenswert. Es wurden keine Ideologien nahegelegt, und es wurde nicht versucht, einen Weg als den einzig richtigen darzustellen. Ganz im Gegenteil: man war bemüht, alles offen zu lassen. Das Konzentrat der unmittelbaren Vergangenheit sollte anregen, nicht einschränken. Die Schlüsse aus all dem, und daraus folgend die persönlichen Schritte, blieben dem einzelnen Besucher überlassen.

Kopenhagen hat 1996 den Titel „Kulturhauptstadt" übernommen. Das Konzept der Dänen erweist sich als höchst innovativ. Man präsentiert Kultur auf allen Ebenen. Bemerkenswert und zukunftsweisend daran sind die Internationalität des Programms und das selbstverständliche Nebeneinander von unterschiedlichen kulturellen Aspekten. Man präsentiert ebenso einen historischen Rückblick auf eigene Traditionen, wie man Einblick in das internationale Geschehen vermittelt. Kopenhagen stellt sich als Stadt des globalen Dialoges vor. Das Projekt „Offene Stadt" soll zukunftsweisende Perspektiven zeigen. 80.000 Jugendliche aus aller Welt, organisiert in Vereinen diverser Sparten von Sport bis Musik, werden nach Kopenhagen eingeladen und privat einquartiert.

Kulturaustausch als Massenveranstaltung gehört ebenso zu dem Konzept wie einige elitäre Veranstaltungen, die nur bei einem sehr kleinen Zielpublikum auf Interesse stoßen. Arrivierte Kopenhagener Veranstaltungen wie beispielsweise das Festival „Images of Africa" oder das „Kopenhagen Jazz Festival" werden höher dotiert und in das Programm aufgenommen. Große Oper steht neben experimentellem Theater. In 96 Containern, die entlang des Kais gegenüber der weltbekannten Sehenswürdigkeit der „Meerjungfrau" aufgestellt werden, präsentieren 96 Künstler aus ebenso vielen Hafenstädten der Welt ihre Arbeiten. Eine derartige Palette an künstlerischen Entwürfen und unterschiedlichen Zugängen zur Welt ist nur in einer Stadt zu finden, die sich als Bühne für so viele Ebenen eignet. Anders als der ländliche Raum mit seinen eigenen Gesetzen und Rhythmen ist die Stadt, in der Austausch und Konfrontation notwendig sind und zum Alltag gehören, eine spezielle Herausforderung für alle, die sie aufsuchen – und mehr noch für die, die ständig in ihr leben.

Beide Städte – Luxemburg und Kopenhagen – zeigen auf jeweils sehr eigenständige Art und Weise, worin das Selbstverständnis einer Stadt im vieldiskutierten *Global village* liegen kann: in der Verbindung eigener kultureller Tradition mit den Erfahrungen und Erkenntnissen anderer Kulturen, Länder und Städte. Wo sonst sollten derartig viele Möglichkeiten, das Morgen zu gestalten, zu finden sein?

Waltraud, 27 Jahre, Pädagogin

Es war schon lange mein Ziel, in die Stadt zu ziehen. Andererseits versuche ich, am Wochenende zu entfliehen, um durchatmen zu können. Ich glaube, ich teile diese Ambivalenz und Haßliebe mit vielen. Aber die Möglichkeiten und Anregungen einer Hauptstadt brauche ich ebenso – sie sind mein Lebenselexier.

Zentrale Punkte einer zeitgemäßen Stadtplanung sind die Einbettung alter Substanz in neue Konzepte und die Erschließung neuer Gebiete. Architektur und Stadtplanung sind tragende Säulen funktionierenden urbanen Lebens. Michael Mönniger („Der Spiegel") kritisierte an der gegenwärtigen Stadtplanung eine eklatante Konzeptlosigkeit. Seiner Schlußfolgerung kann man sich nur anschließen: Es gilt, auf Basis der historischen Substanz und der positiven wie negativen Erfahrungen der letzten Jahrzehnte neue Ansätze – Utopien – zu entwickeln.

Peter Eisenman, Architekt in den USA, hat in einem Vortrag in Wien, anläßlich der Veranstaltung „80 Tage Architektur Wien" festgestellt, man müsse urbane Realität ernst nehmen, anstatt Design zu machen. Das heißt, Funktion ist die Voraussetzung, aber nicht der alleinige Zweck der Stadtplanung. Weniger detaillierte Normen als übergreifende Regeln sollten einer Idee von Stadtentwicklung zugrunde liegen. Innerhalb gewisser Regeln sollte die Architektur ihre volle Phantasie entfalten können.

Es geht um ein Bewußtsein für große Zusammenhänge, das einer kreativen Entwicklung des einzelnen genügend Freiraum läßt. Architektur muß zukünftig weniger als Aufgabe formaler Gestaltung, denn als Bühne des Lebens gesehen werden. Architektur in der Zukunft muß hauptsächlich verstanden werden als Ambition, Lebensraum zu schaffen und nicht als geometrische Herausforderung. Die Qualitätsfrage einer neuen städtebaulichen Utopie entzündet sich an der Wechselwirkung zwischen der gebauten Struktur und deren Bewohnern. Es bedarf einer Konzeption, die sowohl großzügig wie international ist, aber auch kompromißlos dort, wo es um die Bedürfnisse der Stadtbewohner geht.

Städtisches Leben heißt Unterschied, heißt Aktivität, Öffnung, Grenzüberschreitung, Neben- und Durcheinander. Nicht Homogenität macht das Bild einer Großstadt aus, sondern ein vielschichtiges Neben- und Miteinander ist prägend. Städte wachsen aus Reibung und Widerspruch, nicht aus *einer* verbindlichen gemeinsamen Absicht.

Urban zu sein, ist letztlich eine klimatische Frage. Eine Stadt ist entweder Metropole oder nicht. Weder die Konzentration aller „höchsten" Ämter, noch das längste und dichteste U-Bahnnetz, noch die Häufung von Kunst im Stadtraum erzeugen das metropolitane Klima. Städtisches „Wetter" ist bestimmt durch die Gleichzeitigkeit unzähliger Einflüsse. Die Stadt als gesamtes soll lebens- und besuchenswert sein, nicht nur ihr historischer Kern und einige periphere Sehenswürdigkeiten. Ihr Leben, ihr Charakter, ihre Eigenständigkeit und Unverwechselbarkeit, ihr Selbstverständnis als ganzes sollen anziehen, sollen Bewohner wie Besucher zu ausgedehntem Flanieren und Entdecken animieren.

Die spezifischen historischen Qualitäten vermag nur die jeweilige „Altstadt" selbst zu vermitteln. Der Versuch, in den Stadtentwicklungsgebieten und an der Peripherie zu simulieren, was im historischen Kern und nur dort im Original zu erleben ist, wäre ebenso unsinnig wie zum Scheitern verurteilt. Simulation mündet zwangsläufig in Oberflächlichkeit und Kitsch. Die Einzigartigkeit der Stadt und ihrer Kultur vermag für sich selbst zu sprechen, das regional Besondere soll authentisch erlebt und nicht als Attrappe hergestellt werden.

Die Peripherie ist immer das Entree in die Stadt und zugleich letzter Eindruck beim Verlassen einer Stadt. Neue Wohngebiete und Gewerbeparks liegen zwangsläufig fast immer an der Peripherie. Sie sind umgeben von Autobahnzubringern, Industriegebiet und Brachland. Über den Charakter der Stadt selbst, über deren Kultur und Lebensqualität sagt diese Umgebung zunächst nichts aus. Diese Zonen sind im schlechtesten Sinne international, als sie überall den gleichen Anblick bieten. Genau hier aber wächst die Stadt, entstehen neue Lebensräume. Hier liegen die großen Aufgaben der Stadtentwicklung, die diesbezüglich in der Vergangenheit viele Fehler gemacht hat. Die Lieblosigkeit, mit der die Stadtperipherie gestaltet beziehungsweise nicht gestaltet wurde, ist in Zeiten der internationalen Wanderbewegungen ein Affront gegen den Besucher einer Stadt.

Die neuen „Stadttore" müssen Öffnung demonstrieren, nicht Abschottung. Was sich in diesen Entwicklungsgebieten demonstrieren läßt, sind ideelle Werte. Eine Stadt, die expandieren will, will auch besucht werden. Das erfordert, sich an die Welt anzuschließen und offen, flexibel und dynamisch zu sein. Diese neuen Zentren müssen multifunktionell sein, also verschiedene Funktionen in einem verdichteten Komplex vereinen: Wohnen, Büro, Handel, Gastronomie und nicht zuletzt Kultur. Tendenziell simulieren derartig multifunktionale Komplexe eine eigene Stadt innerhalb der Stadt.

Das Funktionieren dieser neuen Stadtteile bedarf grundsätzlich ihres Anschlusses an die vorhandene städtische Infrastruktur.

Entscheidend aber für das städtische Wesen ist nicht ein möglichst dichtes Nebeneinander von Einzelaspekten, sondern vielmehr deren humane Verschränkung. Überlagerung und Verkettung charakterisieren eine intakte urbane Zone. Ambivalenz und Widersprüchlichkeit der Durchmischung gewährleisten ein lebendiges und somit lebens- und besuchenswertes Umfeld. Neue Stadtgebiete brauchen Attraktionen, die sie ideell aufwerten und auch auf einer immateriellen Ebene zum Teil der Stadt machen. Sie sollen nicht nur das Bedürfnis nach Wohnen und Einkauf, sondern auch nach Kultur, Freizeit und Zerstreuung befriedigen. Die „Wohngebiete" sollen idealerweise einen deutlichen und attraktiven Zielpunkt für *alle* darstellen, um als „echter" Stadtteil im Bewußtsein der Gesamtbevölkerung verankert zu werden. Sonst bleiben sie öde Flächen und präsentieren sich nach außen hin als isolierte Stadtgebilde.

Kunst ist *einer* der prägenden Aspekte einer Großstadt, sie bestimmt urbanes Leben ebenso mit, wie das etwa kommunale Maßnahmen oder ökologische Korrekturen tun. Kunstwerke im öffentlichen Raum sind Marken der Stadtentwicklung und als solche Ausdruck des Selbstverständnisses ihrer jeweiligen Auftraggeber. Kunst als Teil der Stadt kann genauso unauffällig wie penetrant, ästhetisch oder missionarisch, signalisierend oder geduckt, unübersehbar oder versteckt sein. Die Arbeiten von Künstlern und Künstlerinnen können Perspektiven oder Blickrichtungen markieren, Orte oder Zentren definieren, sich architektonischen Vorgaben fügen oder kontrapunktische Akzente setzen. Sie können dominant sein oder sich unterordnen, sie können eine Situation umgewichten oder belassen, einen Ort dominieren und ebensogut davon ausgehen, daß die spezielle Situation formal nicht zu bewältigen ist.

Architektur und Kunst als kulturelle Manifestationen transportieren und vermitteln Erfahrungen. Eine Zusammenarbeit von Architekten und Künstlern eröffnet eine zusätzliche Bedeutungsebene des verwirklichten Projektes. Der Denkanstoß, den Kunst zu geben vermag, demonstriert die Bereitschaft des Bauherrn, öffentlich Verantwortung für eine solche Symbiose und deren Konsequenzen zu übernehmen. Architektur und Kunst sind beide als Kommunikationsmedien der Zeit zu verstehen, die sich in deren Werken widerspiegelt.

Die Stadt ist immer Ausdruck der speziellen Bedürfnisse, der Lebensart, der Innovationskraft und des organisatorischen Vermögens ihrer Bewohner und „Stadtväter". Die Flexibilität ihrer Anlage, die Qualität der Architektur, ihr kulturelles Angebot machen sie zum Erlebnisraum. Wie prägnant ihre Symbole sind, ist entscheidend für ihre Wirkung nach außen. Die Integration von Kunst in die Stadtplanung bewirkt eine zusätzliche Akzentuierung. Eine sorgfältige Städteplanung muß immer wieder die Einzigartigkeit der Stadt und ihre Besonderheiten betonen.

Die Konzeption für Kunst im öffentlichen Raum innerhalb einer zeitgemäßen Stadtplanung kann nicht lauten: „So wird Kunst im öffentlichen Raum gemacht." Sie kann nicht umfassend gültig, sondern immer nur partiell, für Teilbereiche „richtig" sein. Ein mögliches übergreifendes Konzept sollte eine oder mehrere Möglichkeiten vorgeben, die bestehenden urbanen Strukturen zu überlagern, das Vorhandene zu durchdringen und partiell zu akzentuieren.

Jedes „Thema" der Kunst wächst aus der Situation Stadt. Bildende Kunst im Gegenüber zur speziellen Architektur und der urbanen Situation kann die nötige verbindende Arbeit zwischen Außen- und Innenraum leisten und so eine Bedeutungsaufwertung des gesamten Umraumes erreichen. Die Kunst fungiert formal als markantes Zeichen, indem sie einen städtebaulichen Akzent setzt; inhaltlich steht sie als verdichteter Ausdruck der Zeit und gesellschaftlich als Erweiterung des persönlichen Erfahrungsbereichs jedes einzelnen. Die unterschiedlichen künstlerischen Gedankengebäude, formalen Aspekte, Haltungen und Ausdrucksweisen prägen Schauplätze voll Aktivität, Spannung und Konzentration. Kunstwerke, deren Konzeption den speziellen Ort berücksichtigt, können aus einer diffusen Situation einen definierten Ort machen, öde Restflächen in gestaltete Räume umwandeln und so den Außenraum zum Treffpunkt und Kommunikationszentrum werden lassen.

Die erste globale technische Vernetzung zum Transport von Informationen war das Telefon, später der Fernschreiber. Dann kam das Fax-Gerät als eine kulturelle Revolution. Jetzt gerade erleben wir, daß Kommunikationsapparate nicht mehr fix installiert sein müssen. Das Kommunikationsnetz ist nicht länger eine starre Struktur, sondern ein pulsierendes, dynamisches Gebilde. Persönliche Erreichbarkeit zum einen und ortsunabhängiger Zugriff auf jede beliebige Information zum anderen bergen enorme gesellschaftliche Veränderungspotentiale.

Straßen, Schienen, Flugrouten, die klassischen Transportwege, gelangen an die Grenzen ihrer Kapazität. Hier ist ein grundsätzliches Umdenken erforderlich. Ein Umdenken, das Hand in Hand gehen wird mit einem zusehends steigenden ökologischen Bewußtsein. Vermeidung unnötiger und zu langer Transportwege durch Dezentralisierung der Produktion einerseits und eine hochentwickelte Lager-, Abwicklungs- und Transportlogistik andererseits sind die entscheidenden Schritte in diese Richtung. Dazu kommt unterstützend die technologische Weiterentwicklung der Transportmittel auf Basis ökologisch vertretbarer Grundlagen. Das gilt gleichermaßen für die sinnvolle und umwelterhaltende Reduktion des Güter- und Personenverkehrs. Außerdem wird gerade der Personenverkehr erheblich weniger durch die Notwendigkeit physischer Präsenz bestimmt werden, als durch die persönliche Wahl dessen, was man authentisch sehen und erleben muß oder will. Es wird genau zu analysieren sein, wo ein persönlicher Kontakt nicht zu ersetzen, wo ein direktes Gespräch nötig und wünschenswert ist, wo der Eindruck an Ort und Stelle nicht durch ein Bild zu ersetzen ist.

Global village – die ganze Welt ist ein Dorf. Telekonferenzen werden persönliche Kontakte nicht verdrängen, sehr wohl aber die Zurücklegung sinnloser Kilometer verhindern. Der persönliche Transport von Information auf konventionellen Wegen wird mehr und mehr unnötig werden. Digitalisiert wird immer mehr Material auf dem „Info-Highway" rasend schnell und unkompliziert dorthin gelangen, wo es gerade benötigt wird. Information ist jederzeit und überall abrufbar, die Umwandlung in „Materie" erfolgt erst an Ort und Stelle. Die Suche und auch die Sehnsucht nach dem Authentischen wird der Ausgleich zum alltäglichen Umgang mit artifiziellen und virtuellen Welten sein. Das ist nicht zwangsläufig als Gegenbewegung zu interpretieren, sondern eher als Reaktion auf diese Kommunikationstechnologien, die aber kommende Entwicklungen im Sozial- und Freizeitverhalten entscheidend mitbestimmen wird.

Dienstleistung im städtischen Umfeld wird eine neue Bedeutung erlangen. Kundenservice wird im Zeitalter immer gleichwertigerer Angebote und Produkte zum entscheidenden Auswahlkriterium. Am Beispiel Finanzdienstleistung läßt sich eine relevante Veränderung im Dienstleistungsgewerbe darstellen: Mobile Strukturen werden verstärkt eingesetzt werden, um das Bedürfnis des Kunden nach individueller und persönlicher Beratung zu befriedigen. Die Banken oder Versicherungen kommen ins Wohnzimmer der Klientel und zwar mit Hilfe eines winzigen Terminals, das on-line mit einem Zentralrechner verbunden ist und jede nur erdenkliche Transaktion, jeden Abschluß und vor allem jede gewünschte Auskunft ermöglichen wird. Es gibt Prognosen, daß bis zum Jahr 2000 etwa ein Drittel der Finanzdienstleistungen von mobilen Strukturen aus erbracht wird. Das wird eine viel freiere, projektbezogene Zeiteinteilung ermöglichen und die Zeit, die in der Firma verbracht werden muß, wird sich deutlich reduzieren. Ein großer Teil der Arbeitszeit in vielen Berufen kann zu Hause verbracht werden. Tele-working, das ich im zweiten Kapitel beschrieben habe, wird auch das Leben in der Stadt – und dadurch das Stadtbild – mitverändern.

Ein weiterer wichtiger Aspekt ist auch, daß nicht nur die Kommunikation zwischen den Zentren der Welt, den großen Städten, zunimmt, sondern auch die Anbindung von urbanen Zentren an den regionalen und ländlichen Raum zustande kommt. Datenübertragungsnetze und Satellitentechnologie machen es möglich. Wer am Land wohnt oder sich entschließt, dorthin zu ziehen, ist nicht mehr zwangsläufig abgeschieden von der übrigen Welt.

Das Vorhandensein von Informationsnetzwerken ist die Grundlage für alle diese Veränderungen, die in unser Leben überall eingreifen werden. Man kann daraus Ängste ableiten oder aber diese Möglichkeiten als eminent wertvoll ansehen und sich ihrer verantwortungsbewußt bedienen.

Informationsmüdigkeit durch Reizüberflutung, wie sie vor allem im städtischen Bereich schon als Streßfaktor zu diagnostizieren ist, hat ursächlich mit diesen neuen Medien und ihren Möglichkeiten zu tun. Richtiger Umgang bedingt vorweg ein ausreichendes Maß an Bildung und in der Folge ein ebensolches Maß an Verantwortung und Umsicht.

Unabdingbare Basis für so gut wie jeden Arbeits-, Bildungs- und Freizeitbereich in künftigen städtischen Lebenswelten wird der selbstverständliche Umgang mit Kommunikationstechnologie und diversen anderen neuen Medien sein. Wie dieser freie und unvoreingenommene Umgang mit Technik, mit neuer Information und allem, was zunächst fremd erscheint, lustvoll und spielerisch zu erlernen ist, zeigt der unbefangene Umgang von Kindern und Jugendlichen mit diesen Medien.

Auch Wohnbereiche, als Mikrokosmen und Innenwelten städtischer Strukturen, unterliegen einem ständigen Anpassungsprozeß, um das jeweils individuelle Lebensgefühl der Bewohner nach außen zu transportieren. Durch die Art und Weise, wie wir unser Wohnen gestalten, läßt sich viel auch über gesellschaftlich wichtige Trends aussagen. „Design war gestern“, sagt die Mailänder Designerin Paola Navone, „heute suchen die Leute Dinge mit Charme, Wärme und Gefühl.“ Navone ist maßgeblich an der Wiederentdeckung und Aufwertung sogenannter „einfacher Dinge“ im Wohnbereich beteiligt. Dementsprechend werden Möbel nicht aus Kunststoff hergestellt, sondern aus Weide, Rattan, Holz oder Eisen – Materialien, die dem Empfinden vieler Konsumenten wieder näherstehen, als dies in den 80er Jahren der

Fall war. „Wir Europäer", meint sie, „haben vergessen, wieviel Kunst im einfachen Handwerk verborgen ist."[3]

„Warum kompliziert, wenn es einfach und natürlich geht?"[4] – das Motto ihres renommierten englischen Kollegen Terence Conran untermauert Navones Ansichten. Auch er sucht nach der Substanz der Dinge, dem ursprünglichen Wesen von alltäglichen Gegenständen. Große internationale Möbelhäuser und Vertriebe greifen das zusehends öfter und bereitwilliger auf und tragen zu einer beachtlichen Verbreitung dieser sinnvollen Ansätze bei. Die Kollektionen tragen dann Namen wie beispielsweise „Mayflower" und machen die Ideen exklusiver Designstudios einem breiten Publikum zugänglich.

Möbel- und Design-Magazine führen Titelgeschichten wie „Naives von gestern mit der Raffinesse von heute". Ob nun direkt importiert oder nur inspiriert aus den Ländern des Südens: Ethno-Einflüsse verleihen – wie auch in der Literatur oder Musik – lange Bekanntem ungewohnte Farbigkeit. Durch den Mix von wiederentdecktem Kunsthandwerk und raffinierter Neuinterpretation archaisch-alter Formen entstehen Dinge des Alltags voller Geheimnisse. Ob handgestempelter Indigo-Blaudruck oder Teppiche in konventioneller Technik, aber mit neu interpretierter orientalischer „1001-Nacht-Romantik", ob nach englischem Vorbild handgeschmiedete Laternen oder Vasen und Kerzenhalter „in der Tradition des Bauernsilbers" hergestellt werden, alles ist möglich. Bunte Vielfalt steht neben dem Reiz reiner Formen, Purismus und Überschwang werden im selben Atemzug genannt, purer Genuß schließt reine Askese keinesfalls aus. Schlicht ist schön, üppig genauso. In Design und Mode werden herkömmliche Formen und Muster mit exotischen kombiniert, stehen Classics neben Modellen, die ebendiese zitieren.

Wie läßt sich nun ein Zukunftsprogramm für Städte formulieren? Die Antwort kann nur lauten: Anderes und Fremdes begreifen, Neues erfassen, Zusammenleben lernen. Die Lust daran entdecken, die Zukunft mitzugestalten und zu bestimmen.

---

[3] zit. nach: ELLE Décoration 1/95
[4] ebd.

Es gilt, Vielfalt und Unterschied nicht als beängstigende Tatsachen zu begreifen, sondern als Chance und Bereicherung. Die Stadt sollte die Kultur des Unterschiedes focussieren. Statt steriler Neutralität sollten wir uns um Pluralismus und Farbigkeit bemühen.

Es gilt, ein öffentliches Leben wiederzuentdecken, als Forum gesellschaftlicher Erfahrung und kulturellen Austausches. Urbane Realität ist diskontinuierlich, darauf muß in jeder Planung Rücksicht genommen werden. Stadterweiterung und Erneuerung bedingen ein Denken und eine Politik, die großen Utopien entspringen, die ebenso visionär wie realisierbar sein müssen. Die Lust an der Komplexität, die Freude an Kommunikation, Konfrontation und Reibung sind spannende Wege, dem nivellierenden Mittelmaß zu entgehen und in der neuen Welt unserer nächsten Zukunft zu bestehen. Die neuen Technologien sind weder eine paradiesische Erfüllung, wie so manche „Anything goes"-Parolen der Anbieter uns einreden wollen, noch das Horrorszenarium, das einige Skeptiker an die Wand malen. Durch Teleworking und andere mobile Strukturen wird die Wohnung nicht mehr nur Privatsphäre sein. Es ist dies eine Chance, unseren Städten wieder die Lebendigkeit zurückzugeben. Der öffentliche Raum wird wieder zum Ort der Begegnung und Kommunikation.

Jederzeit aus allen Angeboten der Welt wählen zu können, erfordert die nötige Souveränität im Umgang mit den neuen Medien und der in diesem Ausmaß noch nie dagewesenen Fülle und allgemeinen Verfügbarkeit von Informationen. Diese Souveränität zu erlernen, wird die bildungspolitische Herausforderung der nächsten Jahre und Jahrzehnte sein.

Für mich bleibt aus der Vielfalt der hier dargelegten Überlegungen die beglückende Gewißheit: Stadt ist Leben in Fülle. Alle großen Kulturen haben – auch in Zeiten, als die Landwirtschaft noch dominierte – von Städten ihren Ausgang genommen: in China und in Mesopotamien, in Ägypten, Athen und Rom. Die Vielfältigkeit städtischen Lebens schöpft aus Geographie und Geschichte, aus Geopolitik und Kunst. Stadt ist Vergangenheit und Zukunft, historische Altstadt und dazuwachsende Peripherie, Schönheit und Elend in ansteckender Nachbarschaft. Die Zukunft unserer Gesellschaft wird sich in den großen Städten entscheiden. Urbanität und Humanität sind zwei einander bedingende Ziele verantwortungsbewußter Zukunftspolitik.

JUGENDKULTUR – KULTUR DER JUGEND?

"When I use a word", Humpty Dumpty said in rather a scornful tone, "it means just what I choose it to mean – neither more nor less."

Lewis Carroll

Die Grenzen zwischen den Generationen sind im Verschwinden, und glaubt man den Soziologen, so sind wir eine Gesellschaft von Kind-Erwachsenen und erwachsenen Kindern. Der Begriff Jugend beschreibt mittlerweise alles und nichts, die Etikettierung „Generation X", kaum zum Vokabular in der Öffentlichkeit geworden, ist schon wieder veraltet. Auch der Begriff Jugendkultur enthält unterschiedliche Bedeutungen und Inhalte, doch eigentlich ist darunter der wortwörtliche Sinn zu verstehen, nämlich das kulturelle Leben, die Sprache und die Verhaltensformen der Jugend: „Jugend spricht über sich selbst durch die Dinge, mit denen sie sich umgibt."[1]

Jugendkultur umfaßt alle Ausdrucksformen jugendlichen Lebens in Musik, Mode, Sport, Medien, Arbeit und sozialen Interaktionen. Diese Kommunikationsstile werden von Trends geprägt, die nie zur Ruhe kommen und sich immer wieder erneuern: Immer schneller dreht sich das „Trendkarussel"[2] in unserer Mediengesellschaft.

Douglas Couplands Kultroman über die „Generation X" spiegelt ein Phänomen unserer Zeit wider: die permanente Reizüberflutung, der sich vor allem jüngere Menschen ausliefern, mündet bei Coupland in eine Verweigerungskultur und eine Negation des westlichen Lebensstandards sowie eine Visionslosigkeit der jungen Menschen. Genau diese Qualitäten prägten auch die Beschreibungen der Jugendkultur der frühen 90er Jahre in den Medien. Ob sich nun wirklich eine ganze

[1] Janke, Klaus/Niehues, Stefan: Echt abgedreht. Die Jugend der 90er Jahre, München 1995, S. 8
[2] ebd., S. 9

Generation in diese – unter anderem von Medien gemachte – Kategorie einordnen läßt, ist fragwürdig.

Jugendliche stehen traditionellen Einrichtungen unserer Gesellschaft kritisch gegenüber, daß heißt aber nicht, daß sich grundsätzliche Anti-Einstellungen oder Anti-Kulturen ausbreiten. Es sind die herkömmlich institutionalisierten Formen, die die Verweigerung hervorrufen. Die Jugend schafft sich ihre eigenen Gruppen, die mehr auf gemeinsames Interesse als auf gemeinsame politische Ideologien abzielen. Diese Haltung zeigt sich auch in der Art und Weise, wie Jugendliche sich heute in ihren kulturellen Formen selbst darstellen und wie sie Kultur konsumieren. Sie suchen kaum die direkte Auseinandersetzung mit traditionellen Formen, seien sie nun politischer oder kultureller Natur. Sie bleiben unter sich und schaffen einfach ihren eigenen *way of life*. Die Szenen-Bildung ist zu einer der beliebtesten Begegnungsformen von Jugendlichen in den 90er Jahren geworden. Szenen sind soziale Netzwerke, die die herkömmlichen Hierarchien der sozialen und lokalen und nationalen Herkunft aufweichen. Es handelt sich um Interessengemeinschaften mit gleichen Wertvorstellungen, Freizeitaktivitäten und Konsumgewohnheiten. Durch die neuen Kommunikationsmöglichkeiten – Fernsehen, Zeitschriften, Radio, Internet – sind Szenen zu grenzüberschreitenden Gebilden geworden, die sich nicht mehr auf eine Nation, ja nicht einmal mehr auf einen Sprachraum beschränken. Ein wichtiger Faktor zur Entwicklung der Szene-Kultur ist somit auch die gesteigerte Mobilität der Jugendlichen, wodurch diese Kultur ihre lokale Gebundenheit verliert und sich überregionale Szenen bilden (z. B. Raver-Szene).

Ein „Szene-Anschluß" ist eher Zufall denn bewußte Entscheidung und erfolgt fließend. Die Einheit in der Gruppe wird mehr oder weniger von Äußerlichkeiten gesteuert: man hört dieselbe Musik, geht zu denselben Veranstaltungen, liest die gleichen Magazine. Wichtig ist auch, den „richtigen", d. h. den jeweils von der Gruppe legitimierten Stil in der Kleidung auszuweisen. Wir leben heutzutage in einer Welt der Bilder; die wirksamsten Botschaften werden durch Bilder übermittelt. Somit ist auch das Zur-Schau-Tragen der persönlichen Ideologie am eigenen Körper durch das Tragen eines bestimmten Outfits nur eine Anpassung an unsere visualisierte Welt. Dieses Phänomen ist natürlich nicht neu und läßt sich auch bei verschiedenen Jugendtrends früherer Zeiten feststellen. Der Unterschied etwa zu den 70er Jahren besteht jedoch darin, daß man nicht verpflichtet ist, ausschließlich einem einzigen Modetrend zu folgen. Die Maskierungen sind leichter auswechselbar. Ebenso kann man Kulturmix betreiben, das heißt, man kann heute zu einem Techno-Event gehen und sich morgen auf einer Hip-Hop-Party blicken lassen, ohne dabei sein Gesicht zu verlieren, weil es sich nicht um eine Mitgliedschaft im eigentlichen Sinn handelt, sondern um ein Dabeisein. Die persönliche Ideologie ist nicht mehr so einengend definiert wie früher, sondern läßt sich auch in verschiedenen Gruppen ausleben.

Doris, 24 Jahre, Studentin

Ich sehe in der Musik nicht einen Trend allein, sondern eher eine „90er Jahre" Erscheinung, die alle Musikrichtungen möglich macht. Die eine Seite ist, daß die Musik eine Rückwärtsbewegung durchmacht – Musikstile von früher werden wiederholt. Eine ähnliche Erscheinung gibt es auch in der Mode. Dann gibt es noch einen Teil in der Musik, der etwas ganz Eigenständiges hat.

Die Zahl der Szenen, die sich sehr oft über verschiedene Musikrichtungen definieren, hat jedoch enorm zugenommen. Die Unterscheidungsmerkmale der einzelnen Szenen sind nicht so leicht zu definieren, da sich die Stile wieder überlagern. Die Anzahl an neuen Produktionen im Musikbereich erschwert noch zusätzlich den Überblick über sämtliche Stilentwicklungen, der offensichtlich nur mehr Eingeweihten möglich ist, vor allem dann, wenn es sich um seltsam klingende Wortschlangen – wie etwa „Jazz-Chor-Techno-Miles-Pop" – handelt. Der Name zeigt, daß in der Musik alles möglich geworden ist, jede Richtung kann mit jeder anderen eine Verbindung eingehen. Ich gestehe offen, daß mir das alles auch erst klargeworden ist, nachdem ich mir von Fachleuten einen Überblick über die heutige Szene-Landschaft verschaffen habe lassen. Wollen Sie mich auf meinem Erkundungs-Streifzug begleiten?

Techno ist in den 80er Jahren in den USA entstanden und war zunächst eine Bewegung der schwarzen Bevölkerung der Industriestadt Detroit. Dies wird aber oft nicht erwähnt, statt dessen heißt es, Techno sei in Deutschland entstanden, wo es dann später auch große Verbreitung fand. Das Charakteristikum von Techno ist eine auf elektronischem Wege hergestellte, meist „stählern", monoton klingende Musik, in der Regel ohne Gesang, die rhythmische Tanzbarkeit betont. Abwechslungen des Motivs werden vermieden, sodaß eine Art Trance-Zustand, der oft noch durch die Einnahme von Drogen unterstützt wird, bei den Tanzenden hervorgerufen wird. Die Produzenten der Musik, die Disc Jockeys, bleiben im Hintergrund. Die Techno-Szene, auch Raver-Szene genannt, entwickelte sich in den 90er Jahren zu einer der zahlenmäßig größten Jugendbewegungen im deutschsprachigen Raum. Die veranstalteten Raves haben offenbar rasch eine starke Anziehungskraft auszuüben vermocht.

Rave ist eine öffentliche oder halböffentliche Party zu Techno-Musik. Raves kennzeichnen sich unter anderem durch ihre überlange Dauer (bis zu 72 Stunden). Das größte Rave war bisher die „Love Parade" in Berlin. Auch in Wien fand Vergleichbares auf der Straße unter dem Namen „Free Party" statt. Ansonsten werden Raves oft in bereits leerstehenden Gebäuden veranstaltet, wo die Fans stundenlang zu dröhnend lauter Techno-Musik durchtanzen (oft auch unter Einwirkung bestimmter chemischer Drogen wie Ecstasy und Speed).[3]

Die Szene verfügt über ein gut ausgebautes Informations-Netzwerk, das sich aus sogenannten „Fanzines" (z. B. „Frontpage"), Kommunikation über Internet, Mailboxen und Flyern zusammensetzt. Dadurch hat jeder, der will, Zutritt zu neuen Szene-Informationen, unabhängig von seinem Aufenthaltsort

Fanzine: Zusammengesetztes Wort aus „Fan" und „Magazin". Solche Fanzines sind unkommerziell, kommen spontan heraus und wenden sich durch ein bestimmtes Erscheinungsbild und Insider-Informationen ganz gezielt an ein bestimmtes Szene-Publikum.[4]

Flyer: Bunte Faltblätter mit phantasievollen Computeranimationen, die unter anderem die Raver als ihr Kommunikationsmittel benützen. Durch Flyer werden News und Party-Ankündigungen von Hand zu Hand gereicht.[5]

Techno-Musik wird sehr oft von eigens gegründeten Plattenfirmen produziert und dann auch von diesen vertrieben. Damit schaffen sich die DJs eine künstlerische Unabhängigkeit, die ihnen bei großen Plat-

---

[3] ebd. S. 9
[4] Interview mit Peter Wacha. In: Who is Who in Techno-Culture. RTL-Sendung am 23. 10. 1995
[5] Neuer Alltag Freizeit. In: Werk, Bauen + Wohnen, Heft 6/1995

tenfirmen nicht eingeräumt wird. Techno kann jeder machen, der die Hardware, das nötige Know-how und die Kreativität besitzt. Diese Musik ist dadurch ortsunabhängig geworden, die Musiker sind nicht mehr verpflichtet, in Städte zu ziehen, wo es Studios gibt.

Nun gibt es im Bereich der Techno-Musik aber auch wieder Unterschiede, eigene Stilbildungen, die teilweise regionale Präferenzen (in bestimmten Städten dominieren bestimmte Richtungen) aufweisen. Eine dieser Richtungen, die im Sommer letzten Jahres, im Rahmen des Festivals „phonoTAKTIK", auf die Jugendkutur Wiens Einfluß genommen hat, ist „Ambient".

Ambient: Das Konzept zu dieser Musikrichtung geht auf Brian Eno zurück, der eine Musik schaffen wollte, die die Grenzen zwischen „realem" und „aufgenommenem" Sound verwischen sollte. Geräusche, die wir beinahe unbewußt aufnehmen, werden durch elektronische Bearbeitung zur Musik. Eine Besonderheit dieser Richtung ist das Zusammenbringen unterschiedlicher Bereiche, wie z. B. klassischer Musik, Rock, Pop, Jazz, Industrial usw., die vorher strikt voneinander getrennt waren. Rob Young, Chefredakteur einer britischen Musikzeitschrift, charakterisiert Ambient wie folgt: „Tatsächlich ist ihre Anonymität und ihr Sinn für Massenhaftigkeit Teil des Konzepts. Es ist eher eine Musik der Ideen, der Strukturen, der Prozesse denn eine der Selbstverwirklichung, der Bekenntnisse, der rauhen Gefühle."[6] Ambient ist das Gegenteil zu Techno, es plätschert sanft dahin. In der Kultursendung „10½" vom 9. 10. 1995 wurde es so beschrieben: „Ambient ist alles, wo man sich Musik noch dazudenken kann."

Junger Musiker aus Wien:

Ambient gibt es schon lange. Bereits John Cage hat angefangen mit Aufführungen, wie das berühmte „Stille Stück", 4 Minuten 11 Sekunden, wo er sich zu einem Klavier gesetzt und dann nichts mehr gespielt hat. Das Publikum hat nur wahrgenommen, was an Akustik in dieser stillen Zeit vorhanden war. Die Umweltgeräusche, die man in einem Konzertsaal hört, sind danach eigentlich die Musik geworden. Was man heute als Ambient bezeichnet, ist nur dessen

[6] Rob Young, übersetzt von Doris Knecht. In: Falter, 39/1995

elektronisches Nachvollziehen. Man stellt auf elektronischem Weg irgendwelche Atmosphären her.

Interessant ist auch, daß die Veranstaltung „phonoTAKTIK" im Rahmen eines Architekturfestivals „80 Tage Wien" stattfand. Die einzelnen Events waren jeweils an architektonisch interessanten Orten angesetzt: z. B. in einer unfertigen U-Bahn-Station, einer Unterführung, einem Ausflugsschiff. Aufführungsorte, also die Locations, spielen bei dem Musik-Spektakel eine wesentliche Rolle und sind nicht nur Hintergrund für die Akustik. Die Kombination von Musikaufführung und Umfeld macht also die Eigenart des jeweiligen Events aus.

Hip Hop ist eine andere Stilausprägung, die die Kultur, in der Jugendliche leben, widerspiegelt. Diese Musik wurde von der schwarzen Bevölkerung, die in den Ghettos der USA lebt, geboren, ist aber jetzt auch in Europa sehr verbreitet. Es handelt sich um einen Sprechgesang, auch Rap genannt, der mit relativ eintönigen Rhythmen unterlegt ist. Melodien spielen keine große Rolle, vielmehr aber der Text, der meist die gegenwärtige Lage der Jugendlichen, die in ärmeren Vierteln der Stadt oder in Vororten leben, aufzeigt und kritisiert. Die Spannbreite der Texte, die auch oft gereimt sind, erstreckt sich über aggressive Beschimpfungen bis hin zur Poesie. Anstatt sich gegenseitig zu schlagen und zu töten, verpacken die Jugendlichen ihre Aggressionen in den Rap.

Äußerlich sind Hip-Hop-Fans an ihren Hauben und den zu großen Hosen und Hemden zu erkennen, die im Idealfall von der Marke „Stüssy" stammen – eine amerikanische Marke, die sich als Hip-Hopper- und Skater-Kleidung etabliert hat.

Trip Hop ist eine ganz neue Stilrichtung, die Techno und Hip-Hop in sich vereint. Sie wird auch psychodelischer Hip-Hop genannt, da sowohl durch Text als auch durch Musik eine Bewußtseinsveränderung erzielt werden soll.

Acid Jazz ist eine Mischung aus Jazz, Hip-Hop, Funk und Soul. Teilweise werden auch alte Jazznummern aus den 60er und 70er Jahren durch die neue Mischung tanzbar gemacht. Die Acid-Jazz-Szene ist bekannt für ihr „cooles", friedliches Ambiente. Ein auffallendes Merkmal der männlichen Fans sind Ziegenbärte und bunte Kleidung.

Raggamuffin ist eine Mischung aus Hip-Hop und dem aus Jamaika stammenden Raggae, wobei der Rap mit Raggae-Rhythmen kombiniert wird. Unter den Fans sind auch solche mit Rasta-Locken à la Bob Marley zu finden. Ansonsten wird Raggamuffin auch auf Hip-Hop-Partys gespielt.

Jungle ist eine Mischung aus Techno, Hip-Hop und Raggamuffin mit sehr schnellen Rhythmen, die in großen Londoner Diskotheken entstanden ist. Die Erklärung dieser Stilrichtungen soll die Verzahnung der Musikstile ineinander sichtbar machen. Auf Tanzbarkeit wird größter Wert gelegt, die Musik wird also nicht mehr allein akustisch wahrgenommen, sondern in besonderem Maß über den eigenen Körper erfahren.

Grunge geht in eine ganz andere Richtung, da die Musiker meist noch mit herkömmlichen Instrumenten spielen. Grunge ist ein rauher Gitarrenrock aus Seattle, USA, und wird auch als die Musik der Neo-Hippies bezeichnet. Äußere Kennzeichen sind Flohmarktkleidung und lange, strähnige Haare, die ihre Absage an die Konsumwelt demonstrieren sollen. Eine bedeutende Musikgruppe dieser Richtung ist „Nirvana“ mit ihrem Sänger Kurt Cobain, der 1994 Selbstmord verübt hat und damit zur von Jugendlichen verehrten Ikone aufgestiegen ist.

Alternative Rock ist ein Sammelbegriff für alle Mischungen aus Grunge, Heavy Metal und noch härteren Richtungen, wie Hardcore. Alternative Rock ist aggressive Gitarren-Musik mit kritischen bis radikalen Aussagen zur Gesellschaft. Nach außen hin tragen die Fans meist lange Haare, Lederbekleidung und Stiefel.

Allgemein lassen sich Tendenzen erkennen, die den Begriff des Musikers radikal verändern. Das heißt, in der mit elektronischen Medien arbeitenden Musik stehen nicht mehr Musiker mit herkömmlichen Musikinstrumenten auf der Bühne, sondern meistens nur ein DJ, also der Disc Jockey, der mit zwei Plattentellern und entsprechenden elektronischen Anlagen (Synthesizer, Sampler, Computer) arbeitet. Interessant ist auch, daß Techno nach wie vor auf Platten gespielt wird, obwohl es eine rein elektronische Musik ist. Der Grund dafür liegt darin, daß DJs die Platten als ihr Werkzeug benutzen, vergleichbar mit einem Handwerk, was mit CDs schwer möglich wäre. Somit ist wahrscheinlich auch das Überleben der Venylplatten gesichert.[7] Doch der Musiker als Individuum tritt in dieser Musik zurück. Zweifelsohne haben die neuen Technologien auch die Musikkultur verändert.

Stefan, 26 Jahre, Disc Jockey

Es entsteht etwas ganz Neues in der Musik, dadurch daß man die ganze Musik auf dem Computer macht, und zwar nicht auf einer Techno-Ebene, sondern daß man eine Band, ob Gitarren oder Stimmen, aus einem Basismaterial macht. Man produziert also ein neues Musikstück mit einer elektronischen Ästhetik aus anderen Musik-Materialien. Da kann man nicht mehr sagen, ob das live von einem Musiker eingespielt ist oder nur auf elektronischem Weg entstanden ist.

Ein weiteres Phänomen dieser Musikkultur ist das veränderte Verhältnis von Musiker und Publikum. Bei Pop- oder Rockkonzerten stehen die Musiker auf einer Bühne, und das Publikum schenkt seine ganze Aufmerksamkeit neben der Musik auch der Show, die auf der Bühne veranstaltet wird. Bei Techno- oder Hip-Hop-Partys kommt das Publikum in erster Linie wegen der Veranstaltung an sich und um zu tanzen oder sich rhythmisch zu bewegen. Dadurch wird dem DJ ausschließlich die Aufgabe zuteil, tanzbare Musik aufzulegen. Der Musiker wird nicht zum Star hochgejubelt wie in der Popmusik. Auch die Locations, an denen diverse progressive Veranstaltungen stattfinden, haben sich verändert. Die alte Disco hat hierfür ausgedient. Den geeigneten Rahmen für ein Event zu finden, ist unerläßlich geworden. Man sucht sich ausgefallene Orte, leerstehende Gebäude wie Fabrikshallen, „Nullarchitekturen“[8] wie Fußgängerunterführungen, Autobahnbrücken oder sogar Plätze in freier Natur.

Ein großes Problem ist die verbreitete Verwendung von Drogen auf diesen Partys (besonders bei Raves). Dabei dominieren gewisse Drogen in bestimmten Musikrichtungen, bei Techno-Raves etwa Ecstasy und Speed, bei Jungle Kokain und Ganja. Über Ecstasy ist 1994 unter dem gleichnamigen Titel von Nicholas Saunders ein Buch erschienen, das

---

[7] Interview mit Peter Wacha. In: Who is Who in Techno-Culture. RTL-Sendung am 23. 10. 1995

[8] Neuer Alltag Freizeit. In: Werk, Bauen + Wohnen, Heft 6/1995

über Zusammensetzung, Wirkung usw. informiert. Ecstasy wird meist in Tablettenform eingenommen, es kostet 150 Schilling und mehr je nach Dealer und Qualität. Ecstasy ist eine im Labor hergestellte Droge. Der Konsum einer Tablette löst positive oder auch negative Stimmungswechsel aus, je nach Grundeinstellung des Konsumenten und den vorherrschenden Umwelteinflüssen. Besonders gefährlich sind die sich schnell vermehrenden Kopien von Ecstasy, die meist eine Vielzahl von neuen Wechselwirkungen mit sich bringen. Simon Reynolds äußert sich sehr kritisch über diese Entwicklung in einer Ausgabe des Musikmagazins „Spex": „Es geht um den Kult von Beschleunigung ohne Zielort, die Schaffung von Empfindungen bar jeglichen Prätextes oder Kontextes."[9] Er geht sogar so weit, die gesamte Ravekultur in Frage zu stellen: „Ist es überhaupt möglich, daß eine Kultur mehr auf Gefühlen aufbaut als auf Wahrheiten, mehr auf Faszination als auf Bedeutung, mehr auf Jouissance als auf Plaisir?"[10]

Gefühle sind zwar immer im Spiel, sowohl bei der Produktion als auch bei der Rezeption von Kunst, doch ist es sicherlich richtig, daß diese Art von Jugendkultur der 90er eher auf Flüchtigkeit denn auf tief empfundenes Erleben im Bereich der Musik abzielt. Die Auseinandersetzung mit einem Thema oder das Vermitteln von speziellen Inhalten ist nicht Ziel dieser Akteure. Was Jugendliche wirklich in diese Veranstaltungen zieht, ist für jene, die mit diesem Kulturstil nicht aufgewachsen sind, schwer nachvollziehbar. Sie suchen wohl eine bestimmte Art des Erlebens, die ihnen ein spezielles Körpergefühl vermittelt, Ablenkung bietet, sie in Trancezustände führt und – anders als in den Diskotheken früherer Zeiten – zu ichbezogenen, ja autistischen Konsumenten macht.

Die Frage, die Soziologen und Jugendforscher beschäftigt, lautet: Welche Wirklichkeit erschaffen sich hier Jugendliche – und warum? Viele Jugendliche, die in der Musikszene eine aktive Rolle spielen, sehen sich selbst weder als unkritische noch als naive oder desinteressierte Persönlichkeiten. Sie machen sich ihre Gedanken, tragen aber ihre Einstellungen nicht demonstrativ oder plakativ nach außen. Dies mag einer der Gründe sein, warum diese Jugend heute so oft unter-

---

[9] Reynolds, Simon: Verliebt ins Nichts. In: Spex, Oktober 1995

[10] ebd.

schätzt wird. Auf die Frage, ob Musikrichtungen der Gegenwart politische Aussagen übermitteln, antwortet ein junger Musiker:

Grundsätzlich ist alles politisch. Daher glaube ich, daß ein Künstler oder ein Musiker, der etwas schafft, das ganz mit ihm zu tun hat und seiner Identität entspricht, damit eine politische Aussage macht. Das heißt, wenn ich einen Song mache, der meine Wahrheit ausdrückt, dann ist das ein politischer Akt im kleinen. Revolution findet bei den Raves tatsächlich nicht statt. Die Außenwelt verändert sich total schnell, aber der Mensch braucht immer Millionen Jahre, bis er sich wirklich verändert. Man muß auch beim Techno zwischen den Massenveranstaltungen, also den Mega-Raves zum Konsumieren, und der Subkultur unterscheiden. Bei kleinen Raves wird auch für Qualität gesorgt. Da gehen die Leute sehr fein miteinander um.

Auch diese Musikkultur hat ihre kommerzialisierte Version in den Massenveranstaltungen einerseits und ihre anspruchsvolle Variante oder Subkultur andererseits. Sie ist zwar ein internationaler Trend, aber mit sehr lokalen Ausprägungen. Über in Wien inszenierte Technoveranstaltungen äußert sich der junge Musiker aber kritisch.

Wien: Das ist irgendwie problematisch. Da fängt auch meine Kritik an. Also, wenn ich noch nie im Gasometer war, dann bin ich beim ersten Mal fasziniert von dem riesigen Raum und dem DJ. Aber nach zwei Stunden habe ich genug davon. Und das war auch das Problem, daß viele Leute Techno nur über diese Großveranstaltungen wahrgenommen und es dann abgelehnt haben. Von der Szene her merke ich, daß es in Wien gar nicht soviel gibt und die Clubs an sich wie Jugendzentren aussehen. Die Subkultur hat eigentlich nicht die geeigneten Plätze, um freier arbeiten zu können. Es gibt z. B. keine Hausbesetzer-Szene. Das ist in Berlin anders. Da wird in einem Hinterhof eine Anlage hineingestellt. Im Sommer findet dann regelmäßig in einem Innenhof mit alten Bäumen eine Ambient-Veranstaltung mit Lagerfeuer statt. Da kann man einfach relaxen und reden. Also, da merke ich immer, daß das eine ganz andere Kultur ist. Und Wien, also Österreich, hat für mich immer eine Importkultur, das heißt, es entwickelt sich etwas draußen, das wird auf einmal hier gesammelt, oder Stars werden geholt, und es wird wichtig.

Aber es gibt hier nie die Selbstverständlichkeit, daß also neue Kultur einfach so passiert.

Moderne Techniken haben die Art, wie Musik von jungen Menschen produziert wird, zweifelsohne stark verändert. Vielleicht ist Wien wirklich kein ganz so leichter Boden für das Entstehen neuer und progressiver Strömungen in der Kunst, vor allem im Bereich der Musik. Man könnte fragen, ob unsere Jugend anders ist als die Jugend Berlins oder ob es an der Mentalität liegt, daß neue Strömungen sich hier erst Raum verschaffen müssen. Es scheint für junge Menschen in Wien schwieriger zu sein als in anderen Metropolen Europas, etwas Eigenständiges im Bereich der Kultur entstehen zu lassen und dies nach außen zu transportieren statt zu importieren. Vielleicht aber sind wir auch zu sehr an unsere musikalische Vergangenheit gebunden, wissend, daß Wien im Ausland mit Musikgeschichte identifiziert wird. Doch gerade daraus könnten wir Selbstbewußtsein beziehen und mit Mut zum Neuen im kulturellen Leben eines Europa der Jugend eine wichtige Rolle spielen. Kaum eine andere Großstadt Europas bringt diese Voraussetzungen mit, den Bogen zwischen Tradition und Progressivität zu spannen, und etwas ganz Eigenes und Selbstverständliches entstehen zu lassen. Wir dürfen auch nicht vergessen, daß das Spektrum jugendlichen Musizierens breiter ist, als der Blick auf die Techno-Szene nahelegt. Wien hat bekanntlich hervorragende Musikhochschulen, und viele Jugendliche fühlen sich in dem Klima der klassischen Musik zu Hause. In der Beziehung zwischen Musik und Jugend spielen aber die Medien eine sehr bestimmende Rolle, prägen sie doch in einem sehr starken Ausmaß jugendliches Kulturverhalten, vor allem im Bereich der Rezeption.

„Zu welcher Generation man gehört, hängt immer davon ab, in welcher Informationskultur man aufgewachsen ist. Und wir müssen heute feststellen: Unterschiedliche Wertsysteme werden von unterschiedlichen Medien bedient."[11] Dieser Ausspruch von Norbert Bolz führt sehr gut in die Thematik der Medien ein. Massenmedien, wie Bücher, Comics, Zeitschriften, Film, Video, CDs, Radio, Fernsehen, Internet usw., haben im Leben der Jugendlichen einen beachtlichen Stellenwert eingenommen. Überregionale Jugendkulturen können vor allem durch

---

[11] Bolz, Norbert: Fröhliche Anarchie im Internet. In: Form, 3/95

ihre Verbreitung durch die Massenmedien bestehen, denn sie transportieren am wirksamsten die Symbole der Jugendkultur und sorgen für die Verbreitung von Standards bestimmter Szenen. Manchmal geht es aber so weit, daß bereits die Medien bestimmte Trends für die Verbreitung auswählen. Sie bestimmen immer öfter, was, wann und wo etwas „trendy" ist, und sorgen für den „Trendtransport" in die Masse. So gesehen, reduzieren und lenken die Medien die Welt der Jugendkultur. Doch besteht die Jugendkultur nicht nur aus Massenveranstaltungen und -bewegungen, sondern auch aus Subkulturen, die eine eigenständige Existenz in einem regional kleineren Feld führen und dadurch weniger mediale Verbreitung finden. Man kann allen Massenmedien vorwerfen, bestimmte Trends und das dazugehörige Konsumverhalten zu propagieren.

Die größte Bedeutung für die Verbreitung von Jugendkultur haben das Fernsehen, Zeitschriften und auch das Internet. Man muß natürlich auch beachten, daß die Auswahl für die Verbreitung nicht willkürlich und nicht nur von Erwachsenen getroffen wird, da Jugendliche sehr stark auch als mitwirkende Gestalter in der Medienwelt präsent sind. Formen der Medienlandschaft werden erheblich durch Jugendliche geprägt, besonders bei Zeitschriften und manchen Radiosendungen. Reine Information tritt dabei zugunsten einer neuen Ästhetik als visuelles Zusammenwirken von Text, Grafik und Fotos in den Hintergrund. Ein Phänomen des Zeitgeistes ist das durch die Medien gesteigerte Markenbewußtsein. Jeder von uns ist ständig mit Werbung umgeben, aber in Jugendmedien verschwimmt die Abgrenzung zwischen redaktionellem Teil und Werbung immer mehr. Anzeigen sehen aus wie Redaktionsseiten, ein Werbespot wie ein Musikvideo. Somit sind auch die Diskussionen über Markenartikel und Labels zu einem festen Bestandteil des jugendlichen Alltags geworden. Wer gerade nicht die richtigen Jeans oder Schuhe zur Hand hat, bleibt bisweilen eher dem Schulunterricht fern, als sich einer Kritik der Gruppe auszusetzen.

Harte Kritik an den Medien übt Bernhard Heinzlmaier in einem Aufsatz, in dem er im Hinblick auf den Selbstmord von Kurt Cobain, der als erster MTV-Toter bezeichnet wird, behauptet: „Die symbolische und ökonomische Herrschaft der Medien ist das Säurebad, in dem sich authentische und autonome Jugendkulturen auflösen, indem sie von der Kulturindustrie in Waren verwandelt werden, ihrer ursprünglichen

Intentionen beraubt und verallgemeinert werden."[12] Problematisch ist besonders die Vorrangstellung der modernen Medien, da durch diese die Steuerung jugendlicher Rezeption einseitig ist und damit ein breites Spektrum des Kulturkonsums ausgeklammert wird. Hier ist es wichtig, Ungleichgewicht zu verhindern: „Unter der Voraussetzung, daß die Kenntnis möglichst vieler und verschiedenartiger Musik- und Klangwelten weiterhin ein Bildungsziel bleibt, müssen die musikpädagogischen Konsequenzen aus dieser Veränderung der Medienlandschaft wohl darauf hinauslaufen, die musikalische Früherziehung und die Einführung eines qualifizierten Musikunterrichts in den Volksschulen zu forcieren."[13]

Eine entgegengesetzte Position, die die mediale Welt positiv bewertet, nimmt der Amerikaner Douglas Rushkoff ein, der sich selbst als TV-Head bezeichnet, also als einer, der seine Kindheit vor dem Fernseher verbracht, diese aber dadurch nicht verloren hat. Laut Rushkoff ist man den Medien nicht ausgeliefert, sondern jeder Fernseh-Zuschauer ist bereits als Medientheoretiker trainiert. Diese Erziehung sollte man annehmen und die Grammatik der Sprache, die einen beeinflußt, erlernen. Sein Leitspruch: „Don't hate the media, be the media!" Er weist den Vorwurf an die MTV-Kids zurück, daß sie die neuen Analphabeten des 21. Jahrhunderts seien, indem er ihn an die konservative Medienkritik zurückgibt. Mit konservativer Medienkritik ist zum Beispiel Neil Postman, ein heftiger Fernsehkritiker, angesprochen, dessen Theorien für Rushkoff vereinfacht sind und auf ein Niveau kulturhistorischer Plauderei absinken. Seine Bücher („Sibiria", „Media-Virus" und „GenX-Reader") „erklären die Medienkritik und Medienkultur zur Aufgabe einer Generation, deren Vertreter als bildersüchtige, entmündigte TV-Junkies gelten."[14]

Anhand dieser unterschiedlichen Auffassungen der Medienwirksamkeit und Medienbeeinflussung wird die Unsicherheit deutlich, die wir noch immer mit der Veränderung der Medien und der Entstehung neuer Technologien haben. Die Fernsehgewohnheiten von Jugendlichen haben sich in den letzten Jahren drastisch verändert. Durch

---

[12] Heinzelmaier, Bernhard: Der Untergang der Jugend. Jugendkultur im MTV-Zeitalter. In: Bailer, Noraldine/Horak, Roman, Hrsg.: Jugendkultur: Annäherungen, Wien 1995, S 51

[13] Mark, Desmond: Jugend, Musik und Medien. In: Bailer, Noraldine/Horak, Roman, Hg.: Jugendkultur: Annäherungen, Wien 1995, S. 70

[14] Prokop, Nikolaus: Die Generation. In: Album, Standard, 20.10. 1995

Kabel-TV und Satellitenprogramme gibt es inzwischen eine unüberschaubar gewordene Auswahl an Kanälen. Diese Fülle an Angeboten führte zum Zapper-Phänomen (engl.: to zap = hüpfen, springen), gemeint ist damit das ständige Wechseln von einem Kanal zu einem anderen, das besonders stark bei Jugendlichen ausgeprägt ist. Pädagogen weisen immer wieder darauf hin, daß die Konzentrationsfähigkeit von Jugendlichen durch diese ständige Konfrontation mit schnell wechselnden Bilderwelten stark im Abnehmen begriffen ist. Die Bereitschaft, sich einen Film oder eine Dokumentation von Anfang bis zum Ende anzuschauen, wird immer seltener. TV- Geräte bleiben trotzdem über mehrere Stunden eingeschaltet und dienen als Bilder- und Geräuschkulisse im Hintergrund, während andere Tätigkeiten ausgeübt werden. Obwohl vieles nur unkonzentriert aufgenommen wird, werden bestimmte Sendungen oder Fernsehstars zu Kultobjekten erhoben, wie zum Beispiel „Beavies & Butthead", eine Comicserie über Brutal-Radical-Slacker (engl.: Faulpelz, Drückeberger) auf MTV, die Musikvideos mit aggressivem Wortschatz kommentieren. Zu „Pflichtterminen" avancierten auch bestimmte Talkshows wie „Arabella" (Pro7), Kultserien wie „Lindenstraße" (WDR) und amerikanische Importserien wie „Beverly Hills, 90210" (RTL) und „Melrose Place" (RTL) und noch viele andere dieser Art.

Man trifft hier auf Grundmuster der Jugendkultur, die eine Welle an kommerzieller Ausschlachtung und Nachahmung ausgelöst haben.

Es fällt auf, daß bei Jugendlichen im allgemeinen Serien besser als Einzelfilme anzukommen scheinen. Jede Woche oder jeden Tag um dieselbe Zeit am selben Kanal gibt es eine Fortsetzung der Geschichte. Es kann so weit gehen, daß das Ansehen der Folgen zu einem Ritual wird, das man vermißt, wenn die Serie zu Ende geht. Manche Sendungen sind auch so konzipiert, daß sie ein beliebiges Ein- und Ausschalten zulassen, ohne daß die Zuschauer den Faden verlieren. Es gibt also schon ein vom Fernsehen geschaffenes Suchtverhalten. Sendungen, die rund um die Uhr laufen, bieten die beiden Musiksender MTV und Viva. Das sind Programme von jungen Leuten für junge Leute, die sich durch ihre unkonventionelle Moderationsweise, Videoclips und Werbespots kennzeichnen.

MTV-Europe, das täglich Millionen Haushalte erreicht und mit Neuheiten aus dem Musik-, Mode- und Filmbereich versorgt, ist ein ideales Trägermedium für die Globalisierung der Jugendkultur. Es ist zu „dem" visuellen Zeitgeistsender schlechthin geworden. Trends und Moden werden unter anderem hier geboren und in Windeseile international verbreitet. Internationalität dieser Kult-Sender wird nicht nur durch Beiträge, Musikvideos und Werbungen aus verschiedenen Ländern bewirkt, sondern auch durch die Moderatoren unterschiedlicher Herkunft, die jedoch alle in Englisch (in verschiedenen Akzentvariationen) durch die Sendungen leiten. Die englische Sprache wird von den Jugendlichen, die über bessere Schulausbildung als früher verfügen, vollkommen akzeptiert. Sie ist sogar zum gemeinsamen, überregionalen Verständigungsmittel geworden. Auch ästhetisch folgt MTV einem eigenen Konzept, das dem gewisser Zeitschriften sehr ähnelt. Eine bunte Ausstattung, variationsreiche Grafik, unruhige Kamerabewegungen, schneller Schnitt zeichnen sowohl den redaktionellen Teil als auch die Musikvideos und Werbespots aus. Die Sendungen vermitteln eine ungeheure Schnelligkeit, die für unsere Zeit symptomatisch ist. Für den Aufbau von Musikvideos bedienen sich die Regisseure aus dem Bildbaukasten der Filmgeschichte. Manche Clips werden sogar erfolgreich von Filmregisseuren produziert, wie Martin Scorsese, der bei Michael Jacksons „Bad" oder John Landis, der bei Jacksons „Thriller" Regie führte. Die Zitate aus der Filmgeschichte werden zu einem suggestiven Filmtrip komprimiert, der das Image des Popstars bestmöglich vermitteln und dadurch zum Verkauf des Songs anregen soll. Neuere Videos entfernen sich oft von den besagten filmischen Strukturen, denn die neuen Technologien (z. B. Herstellung des Bildes durch Computer) schaffen auch eine neue Ästhetik. Besonders bei Technovideos dominieren die mit Hilfe des Computers erzeugten Bilder und nicht mehr die abgefilmten. MTV ist somit als einer der bedeutendsten Trendsetter in Sachen Jugendästhetik zu sehen.

Spielfilme im Fernsehen haben nicht mehr denselben Stellenwert wie früher, da die Möglichkeit besteht, auf Videofilme auszuweichen. Fernsehen und Video konnten aber nicht das gute alte Kino verdrängen, das nach wie vor eine wesentliche Stellung in der Jugendkultur einnimmt. Es sind auch die Jugendlichen, denen die Kinokassen die meisten Einnahmen zu verdanken haben. Stadtrandkinos mit einem oder zwei Sälen, oft noch im Stil der 70er Jahre, sind allerdings leider bereits vom Aussterben bedroht. Programmkinos sind Kinos für die eigentlichen Cineasten. Sie zeigen filmisch bedeutende, alte wie auch neue Filme, die sich von kommerziellen Hollywoodproduktionen abgrenzen. Die

Filme sind teilweise in Orginalversion zu sehen. Es werden auch verschiedene Veranstaltungen angeboten, wie Filmmatinées oder Filmabende in Anwesenheit des Regisseurs, der dann auch für das Publikum zur Diskussion bereitsteht. Programmkinos sind stark subventionsabhängig, da ihre Klientel zahlenmäßig nicht ins Gewicht fällt. Kinocenter bestehen aus vielen Sälen und sind vor allem auf Kommerzialität ausgerichtet. Sie zeigen Hollywoodproduktionen für den Mainstream und werden von gigantischen Produktions- und Vertriebsfirmen beliefert. Die Kinocenter haben sich weiterentwickelt zu sogenannten Megaplexkinos, die sich durch ihre Raumgröße auszeichnen. Sie erfüllen viele Funktionen und integrieren Restaurants und Cafés.

Das Erleben Kino wird in Österreich vor allem durch den internationalen Film geprägt, der den globalen Zeitgeist nicht nur widerspiegelt, sondern auch miterschafft. Der Jugendmythos „Generation X" wurde zur Genüge, aber nicht befriedigend in den Filmen „Reality Bites", „Singles", „Dazed and Confused", „Before Sunrise" ausgeschlachtet. Das einzige Werk, das diesen Mythos etwas komplexer reflektiert, ist Richard Linklaters erster Film „Slacker", der noch nicht in dieser „aalglatten" Ästhetik gedreht wurde wie andere Jugendfilme, bei denen die Kommerzialität hervorsticht. Sozialkritische Filme wie Gus van Sants „Drugstore Cowboy" und „My Private Idaho" oder „Kids" von Larry Clark beschäftigen sich mit den dunklen Bereichen der Jugendlichen, wie Prostitution, Homosexualität, Aids und Drogenkonsum.

Ich fürchte, daß allen, die mir auf diesem Spaziergang durch die elektronische Medienszene der heutigen Jugend gefolgt sind, der Kopf schon ebenso brummt wie mir, nachdem ich mir diese Situation einigermaßen bewußt gemacht habe. Aber wir sind hier noch nicht am Ende. Auch die Printmedien, vor allem die Zeitschriften, sind ein wesentlicher Gestaltungsfaktor der konstruierten und gelebten Jugendkultur. Das Zeitschriftenangebot für Jugendliche hat sich in den letzten Jahren enorm vergrößert. Mit Ausnahme von Stadtzeitschriften, die Jugendliche mit neuen Infos aus verschiedenen kulturellen Bereichen des Stadtlebens versorgen, besteht die Tendenz zu Magazinen, die sich hauptsächlich auf einen Bereich wie Musik, Kino, Mode etc. spezialisieren und die restlichen Kulturbereiche mit wenigen Seiten abdecken. Die größere Zeitschriftenvielfalt ist somit eine logische Schlußfolgerung des Splitting-Phänomens. Da die österreichische Medienlandschaft vergleichsweise nicht sehr groß ist, wird der Markt von deutschen bzw. englischen oder amerikanischen Magazinen überschwemmt, wobei die englischsprachigen hinsichtlich Trends und Ästhetik meist tonangebend für hiesige Zeitschriften sind.

Auffallend ist der zunehmende Anteil an Werbung in Jugendmagazinen. Im allgemeinen passen sich die Werbeeinschaltungen optisch und sprachlich den Jugendmedien an bzw. sind speziell für solche konzipiert. Da die Anzeigen oft nicht nur das Layout bestimmen, sondern auch vermehrt in den redaktionellen Teil eingeschoben werden, ist die Rolle erkennbar, die die Industrie bei der Fabrikation und Unterstützung von Jugendtrends innehat. Bei der Vermittlung von Sujets geht der Trend hin zur vermehrten Verwendung von Bildern, da besonders die Jugendkultur zu einer visuell dominierten Kultur geworden ist. Das Bildmaterial variiert von Illustrationen, Fotografien bis hin zu Computeranimationen. Magazine aus den 70er und 80er Jahren, wie „Bravo", „Pop Rocky", „Mädchen"oder „Popcorn", gibt es noch immer. Sie sind für jüngere Teenager von Bedeutung, die neben Hitparaden- und Starinfos auch Ratgeber für ihr Leben suchen. Einen sehr großen Teil des Angebots nehmen Musikzeitschriften ein. Das interessanteste und informativste unter ihnen ist noch immer die deutsche Zeitschrift „Spex", die sich mit Underground-Kultur und neuen Musiktrends beschäftigt.

Österreichische Musikzeitschriften, die sich mit hiesiger Subkultur beschäftigen, werden in kleineren Auflagen, meist ohne Farbdrucke, von Vereinen herausgegeben, da die Subventionen (wenn überhaupt vorhanden) für teure Hochglanzprodukte nicht ausreichen. Sie sind aber deswegen nicht uninteressanter. Beispiele hierfür sind: Skug (herausgegeben vom Verein zur Förderung von Subkultur), Slam!? (herausgegeben vom Verein zur Förderung der lokalen Rockmusikszene), Hillinger (herausgegeben vom Kulturverein KAPU in Linz).

Auf einzelne Bereiche, Popmusik, Hollywood-Film, Skateboarding, spezialisiert, sind die bereits angesprochenen Fanzines, die Informationen, teilweise im Szene-Jargon, für eine bestimmte Fangruppe beinhalten. Sie kennen keine Trennung mehr zwischen Text, Grafik und Werbung.

Eine große Vielfalt, aber selten qualitativ hochwertig, findet man bei den Kinozeitschriften wie „Skip", „Cinema" usw. Zeitschriften mit höherem Informationsgehalt, wie „Blimp", „Eikon", „Montage", „Camera Obscura", „Cahier du Cinema" usw., fallen schon mehr in den Bereich Film als Kunst und sind für die Masse (leider) nicht mehr relevant.

Noch größer ist die Auswahl bei TV-Illustrierten, wie z. B. TV SPIELFILM, TV MOVIE, oder viele mehr. Sie sind ein „besseres" Fernsehprogramm, erscheinen alle zwei Wochen und bieten bebilderte Kurzinfos über Stars und dergleichen.

Eine eigene Sparte hat sich auch bei Sportzeitschriften etabliert, wie „Sports Life", das sich auf wenige Sportarten beschränkt, die auch für Jugendliche attraktiv sind. „Fit for Fun" ist ein Magazin für Sport, Fitneß und Freizeit, in dem auch Trendsportarten regelmäßig vertreten sind. Ein Fanzine in dieser Sparte ist das Skater-Fachblatt „Monster-Magazin".

Die führenden Trendmagazine, die sich mit verschiedenen Sparten beschäftigen, kommen aus London, wie „The Face", das in Bereichen des Layouts und der Fotoästhetik federführend ist, oder das Trendmagazin „i-D", welches Londoner Neuigkeiten aus Mode, Musik und Dancefloor auch unter die österreichischen Jugendlichen bringt. Ähnliches Niveau bietet auch die amerikanische Zeitschrift „Interview". Diese Magazine haben Vorbildcharakter für die wenigen einschlägigen Zeitschriften, die es in Österreich für eine jüngere Leserzielgruppe gibt, wie „Diva", „Wiener" oder „Wienerin". Im allgemeinen werden aber die englischsprachigen Magazine von den Jugendlichen bevorzugt konsumiert.

Jugendstile werden in erster Linie über Medien transportiert, aber auch geschaffen. Diese Tendenz zur umfassenden Medialisierung von Jugendkultur ist ein Faktor, den wir alle vermehrt in der gesellschaftspolitischen Diskussion beachten müssen. Den Trend zu verteufeln, wäre kurzsichtig. Wichtig ist vielmehr, mit den technischen und medialen Möglichkeiten besser umgehen zu lernen und – wo nötig – ausgleichende Strategien im Bildungswesen zu entwickeln. Der richtige – also mündige, kritische – Umgang mit Medien, das sei an dieser Stelle angemerkt, hat eines der wichtigsten Erziehungs- und Bildungsziele in unserer Mediengesellschaft zu sein.

Ein Selbstverständnis im Umgang mit Technologie und Weltkultur wird schon seit geraumer Zeit von vielen städtischen Jugendlichen vorgelebt: In der Auseinandersetzung mit neuen Medien und in der Kombination von Elementen aus verschiedensten Kulturen, Religionen und Stilen zeigt sich auch eine Fähigkeit zu Integration und Toleranz, die durchaus zuversichtlich stimmen kann. Stilmix kann als eine zeitgemäße Möglichkeit der Selbstdarstellung, Pluralismus als zeitgemäße „Ideologie" oder besser Lebenseinstellung angesehen werden.

„Surfen" bietet sich dafür als die passende Metapher an: Wir surfen nicht nur durch die Dutzenden Kanäle von Kabel- und Satelliten-TV, sondern auch durch die Vielfalt der eigenen Kultur genauso wie durch diverse andere, für uns fremde Kulturen, immer auf der Suche nach neuen Orten, nach neuen Herausforderungen und Nischen. Fortwährender Wechsel ist hier positiv besetzt und nicht im Sinne unsteter Unruhe zu verstehen, sondern vielmehr als dynamische Flexibilität aufzufassen.

Kultur und Freizeitverhalten jüngerer Generationen sind durch eine schwer zu definierende Ästhetik geprägt, die besser auf die Welt jenseits der Jahrtausendwende eingestimmt ist als oft angenommen wird. Die Clubbing-Kultur sei hier als Beispiel positiver „Hausbesetzung" erwähnt: organisiert, gestylt, zweckgerecht werden verschiedene interessante bis bizarre Orte vorübergehend bespielt. Man pilgert nicht mehr in ein Stammcafé, man sucht Abwechslung und Herausforderung, man drängt nach Auseinandersetzung mit dem Neuen und Fremden. Die Kids und Jugendlichen beginnen ganz und gar unbefangen, Leben in alten (Stadt-)Räumen zu suchen, sich Orte anzueignen und dort neues Leben zu installieren. Ältere führen diese Ideen fort, beginnen, Veranstaltungen zu organisieren, und definieren so direkt aus ihrem Freizeitverhalten heraus neue Berufsbilder der Zukunft. Die genannten Musikprogramme spiegeln dieses Bild wider. Egal, um welche der mittlerweile unzähligen speziellen Richtungen es sich handelt – die ohnehin nur mehr von Eingeweihten zu trennen sind –, Ethnoeinflüsse sind überall, Stilmix wird zum prägenden Stil. Atmosphäre steht innerhalb der Clubbing-Kultur immer vor dem Einzelinterpreten. Der DJ mixt und sampled aus unterschiedlichstem CD-Material, von Haitianischen Traditionals bis zu arabischen Klängen, von Gregorianischen Chorälen bis zu computererzeugtem Beat, Abend für Abend neue Sounds. Diese Fähigkeiten zu integrierender Gestaltung werden in Zukunft in einer immer kleiner werdenden Welt wichtige Voraussetzungen im privaten und beruflichen Bereich sein.

Die Sucht nach Computerspielen, die Vereinsamung vor den Monitoren mag zu den Gefahrenseiten der derzeitigen technischen Entwicklungen gehören. Weitaus wichtiger aber scheint das spielerische Erobern eines Selbstverständnisses im Umgang mit der „Maschine", welches ins spätere Berufsleben übertragen werden kann. Was mit dem reinen Spiel beginnt, geht über den Entwurf eigener Spielszenarios oder die Kreation persönlicher Sounds oft direkt über in professionelles Arbeiten mit dem Computer. Der Reichtum an Sprachen und Kulturen wird zum alltäglichen Programm, der Umgang mit kodierten Botschaften zur Fingerübung. Flexibilität und rasches Erfassen komplexer Inhalte werden selbstverständlich. Es wird trainiert, auf ein Stakkato an Reizen zu reagieren. Die Überfülle an Eindrücken in der Großstadt entspricht der Überfülle an Information im Internet. Eine Entwicklung hin zu sinnvollem Gebrauch all dessen bedeutet das Erlernen der Fähigkeit, komplexe Erfahrungen zu machen und Information zu selektieren.

Erfindungen der Jugendkultur inspirieren immer auch die „Hochkultur". Die Graffiti der 80er Jahre haben längst Einzug in die internationalen Museen gefunden und wurden kommerziell genutzt. Elemente anderer Kulturen haben ein Bewußtsein um die Bedeutung über eigenes Volksgut in formaler oder musikalischer Hinsicht wieder ermöglicht. Punk-Elemente haben die Haute Couture beeinflußt, die Alltagswelt anderer Kulturen hat ebenso Einzug in die großen Möbelhäuser gefunden, wie die Rückbesinnung auf Elemente aus der jeweils eigenen Kultur gegenwärtiges Design prägt.

Trotzdem gibt es in der Diskussion um Sprache und Kultur der Jugend mit Recht auch mahnende Stimmen, die die Schattenseiten des Siegeszugs der elektronischen Medien sehen. Die Vorrangigkeit des Bildes gegenüber der Schrift, die mangelnde Konzentrationsfähigkeit von Schülern und Studenten und das zunehmende Desinteresse an unserem kulturellen Erbe führe zu einer Kulturauffassung, die nur mehr die funkelnde Aktualität akzeptiere. Die Publizistin Camille Paglia nennt als eines ihrer zentralen Anliegen daher die Reform des Bildungswesens: „Die Bildung ist zur Gefangenen der Aktualität geworden. Das beste Tor zur Zukunft ist die Größe der Vergangenheit, nicht die kopflose

Gegenwart. Ich fühlte mich zwar oft durch den Unterricht an der Grund- und Sekundarschule für dumm verkauft und eingeengt (ich sann ständig darauf, aus dem Klassenzimmer zu entkommen und in den Gängen umherzustreifen), aber heute ist mir klar, daß damals der Grund für meine jetzigen Fähigkeiten als denkender, forschender und schreibender Mensch gelegt wurden."[15]

Und Barry Sanders schreibt in seinem bekannten Buch „Der Verlust der Sprachkultur": „Heutzutage wird jede Menge Unterricht zu allen erdenklichen Themen erteilt – vom Gedächtnistraining für den gestreßten Manager bis zum Bauchtanzlehrgang für die gestreßte Hausfrau – , aber Erziehung findet im Leben junger Leute nur verschwindend wenig statt."[16] Trotzdem bleibt für mich die Schlußfolgerung gültig: Eine neue Jugend braucht neue Formen der Jugendkultur in Inhalt und Form. Aber wir sollten darauf bedacht sein, daß gewisse Grundwerte und Eckpfeiler der europäischen Bildungstradition nicht grundlos und ohne zu überlegen über Bord geworfen werden. Auf die richtige Balance kommt es mir an. Ich bin leidenschaftlich für das Recht der Jugend auf Neues, das wir nicht verteufeln dürfen. Sie entwickelt immer wieder neue „Solutions for a small planet", und das ist gut. Aber das Neue soll das Alte nicht einfach verdrängen, diskreditieren und zerstören, sondern es soll es einbinden und weiterführen.

[15] Paglia, Camille: Der Krieg der Geschlechter, Berlin 1993, S. 8
[16] Sanders, Barry: Der Verlust der Sprachkultur, Frankfurt am Main 1995, S. 250

AUF DER DATENAUTOBAHN INS NEUE MEDIENZEITALTER

> Then there is a bigger vision of the media as the most powerful force for change in society
>
> Edward de Bono

Hand aufs Herz: Müssen Sie auch zugeben, daß Sie beim Programmieren des Videorecorders noch immer dann und wann Probleme haben und das Nachforschen im Internet viel Nerven, Energie und Zeit verschlingt? Ich gebe zu: Mir geht es so. Meinen Kindern nicht. Und doch muß sich jede und jeder von uns darüber im klaren sein: Wer in das neue Medienzeitalter nicht einsteigt, steigt aus der Zukunft aus. Was unsereiner sich mühsam erarbeiten muß, ist unseren Nachkommen zur Selbstverständlichkeit geworden.

Vor 30 Jahren wurde vom „Club of Rome" das Ende der industriellen Wachstumsgesellschaft angekündigt. Seine Prcgnosen trafen in wesentlichen, aber nicht in allen Punkten ein. Die Weltwirtschaft hatte seit Beginn des Jahrhunderts ihre Produktivität vertausendfacht, jetzt wurden die Grenzen der natürlichen Ressourcen, des möglichen Bevölkerungswachstums, der ökologisch vertretbaren Ausbeutung der Natur sichtbar. Die daraufhin ausgerufene post-industrielle Gesellschaft krankte von Anfang daran, eben nur Folge-Modell ohne eigene Pespektive zu sein. Nach dieser kurzen Übergangsgesellschaft wird uns nun die Informationsgesellschaft als Zukunftsmodell angeboten: ein problematischer Versuch, wenn man bedenkt, daß jede Gesellschaft ihrem Wesen nach von Information und Kommunikation lebt. Aber die letzten 10 Jahre haben im Bereich der elektronischen Medien einen technologischen Entwicklungsschub gebracht, den in dieser Weise auch Fachleute nicht vorausgesehen haben. Im beruflichen wie auch im privaten Bereich ist jeder von diesen Entwicklungen betroffen, sodaß die Bezeichnung „Informationszeitalter" für diese Ära der rapiden Neuorientierung vielen vertretbar erscheint.

„Kein Fernsehen in meinem Heim" – dieser Grundsatz wurde vor wenigen Jahren noch als Anspruch der Elterngeneration an ein Bildungsniveau verstanden, das den Kindern die Übernahme eines gesicherten Schatzes an Grundwerten und -wissen garantieren sollte. Dreißig deutschsprachige TV-Kanäle später und im Jahr der ersten digitalen Programmpakete im deutschsprachigen Raum rufen Wissenschaftler, Trendforscher und die Werbebranche ein neues Zeitalter der „elektronischen" Revolution aus. Die Stichworte lauten Daten-Highway, Internet, digitales Fernsehen, Multi-Media-Anwendungen. Keine Zeitung oder Zeitschrift verzichtet auf die Einführung einer „Media"-Beilage oder einer täglichen „Mediaseite". Wie beim Ausbruch eines neuen Goldrausches rast die Branche multi-media-wärts. Vielfach regiert die Angst, beim Run auf neue Märkte zurückzubleiben. Kein Betrieb, der auf sich hält, bleibt ohne Internet-Zugang, kein junger Freiberufler ohne e-mail-Adresse auf der Visitenkarte. Der interessierte Laie sucht im Dschungel der neuen Reizworte nach Orientierung und möchte wohl auch einen möglichen praktischen Nutzen für sich erkennen. Was kommt da auf mich zu? Was soll ich kaufen? Was kann ich damit anfangen? Was erwartet meine Kinder ? Wer als Teil der Elterngeneration glaubt, sich durch Lektüre seiner täglichen Nachrichtenmagazine über die Entwicklung auf dem laufenden halten zu können, bemerkt wahrscheinlich erst bei einem Gang durch die Einkaufsstraßen, daß diese „neuen Medien" längst in neuen Geschäften verkauft werden. Der Umgang mit ihnen ist für die nachwachsende Generation so selbstverständlich geworden wie ehemals der Führerscheinerwerb mit achtzehn. Und wir erinnern uns, daß dieser für die Großeltern keineswegs selbstverständlich war. Was oft in der allgemeinen Diskussion um das neue Medien-(Horror)-Szenarium vergessen wird, ist ein distanzierter Blick in die Vergangenheit, denn revolutionäre Entwicklungen im Bereich der Technik haben immer schon mehr oder weniger die gewohnte Welt verändert. Was jetzt hinzukommt, ist die Schnelligkeit, mit der die Entwicklungen verlaufen – dies aber gilt nicht nur für den technischen Bereich!

Schulpflicht und allgemeine Alphabetisierung sind heute in Österreich, aber keineswegs auf der ganzen Welt, eine Selbstverständlichkeit. Man vergißt leicht, daß die Durchsetzung dieser Selbstverständlichkeiten nicht so lange zurückliegt. Die Beherrschung der Schrift, und damit das Wissen der Menschheit, lag vor tausend Jahren in Europa in den Händen der Mönche. Die Erfahrung des gewöhnlichen Menschen beschränkte sich auf das eigene, meist eng begrenzte Lebensfeld. Wissen war das Wissen um sich selbst und die Erfahrung im Kampf um die eigene Existenz. Es fällt schwer, sich vorzustellen, daß all unser heutiges Elementarwissen dem durchschnittlichen Menschen nicht zur Verfügung stand.

Als „erste mediale Revolution" gilt deshalb die Erfindung des Buchdruckes. Die Verbreitung von Nachrichten, die Bewahrung von Wissen mußten nicht mehr handschriftlich verfielfältigt werden und waren so für alle verfügbar. Unter Soziologen herrscht heute Einigkeit darüber, daß dies einen tiefgreifenden sozialen Wandel in Gang setzte. Die ersten „mechanisch", man könnte auch sagen „industriell" gefertigten Bücher waren Kirchenbücher. Aber auch die Verbreitung nicht- oder anti-kirchlicher Schriften wurde möglich. Gleichzeitig wurde die Unterdrückung von Informationen und Ideen wegen der jetzt technisch leicht zu bewerkstelligenden Vervielfältigung erschwert. Im deutschsprachigen Raum hatte die Erfindung des Buchdrucks die Schaffung einer gemeinsamen deutschen Schriftsprache durch die Luthersche Bibel zur Folge. Damit konnte man zum ersten Mal wertvolles Wissen über Ereignisse, Handwerk, Wissenschaft, Geschichte etc. einer größeren Anzahl von Menschen zugänglich machen. Das Reformationszeitalter wäre ohne die Erfindung des gedruckten Wortes ausgeblieben oder anders verlaufen. Das Zeitalter der Aufklärung beginnt mit dem Versuch, das Gesamtwissen der Menschheit enzyklopädisch, also geordnet, niederzulegen. Ähnliches gilt von der Französischen Revolution. War die Öffentlichkeit im noch überschaubar kleinen Paris der vorrevolutionären Zeit durch Mundpropaganda herzustellen, so wurde die Unterdrückung der Forderungen nach Proklamation allgemeiner Menschenrechte in ganz Europa nach Einführung der Druckerpresse unmöglich. Eine technische Erfindung hat also den Gang der Menschheitsgeschichte entscheidend geprägt.

Aus diesen historischen Erfahrungen läßt sich leicht ableiten, daß die derzeitigen Entwicklungen im Bereich der Informationstechnologie in der Zukunft weitreichende Einflüsse auf unser Weltbild haben werden, das heißt menschliches Zusammenleben, politische Rahmenbedingungen, private und öffentliche Institutionen werden sich von Grund auf verändern, gleichgültig, ob dies unseren Intentionen entspricht oder nicht. Was uns zu interessieren hat, ist die Frage, wo, wann und in welcher Weise wir steuernd eingreifen können, sollen, müssen – oder nicht dürfen.

Wissen und Information werden neu definiert und strukturiert werden. Alexander von Humboldt gilt als einer der letzten Universalgelehrten, die das Gesamtwissen der Menschheit noch in ihrer Person vereinen konnten. Längst ist dergleichen unmöglich geworden. Die Wissensexplosion seither hat eine logische Konsequenz: Wissen wird in immer kleinere Segmente aufgeteilt. Das Gesamtwissen der Menschheit ist also zu einem Abstraktum geworden: Spezialwissen ist oft wichtiger als Allgemeinwissen, wobei auch zwischen den Begriffen Wissen, Information und Bildung die Grenzen fließend geworden sind.

Gegen die Informationsflut von heute nimmt sich der Wissensstand der Zeit von Humboldts noch überschaubar aus.

Das Multi-Media-Zeitalter droht uns nun mit der Möglichkeit, das gesamte menschliche Wissen auf Knopfdruck zur Verfügung zu stellen! Psychologen erklären das Ansteigen der Informationsmüdigkeit als Reaktion auf die permanente Reiz- und Wissensüberflutung. Dies könnte zweierlei zur Folge haben: Zum einen eine noch bewußter getroffene Auswahl bei der Aufnahme von Information und zum andern eine Abschottung gegenüber der Welt der Information und ein kompletter Rückzug ins Innenleben.

Wir erwerben heute das sogenannte Schulwissen und ein berufsbezogenes Spezialwissen. Und noch immer gilt: Wissen ist Macht! Zunehmend aber werden wir mit der Tatsache konfrontiert, daß dieses Wissen immer kurzlebiger ist. Es gibt keine Garantien mehr dafür, daß wir mit dem einmal erworbenen Wissen eine ungebrochene Arbeitskarriere erleben oder persönlich Erfolg erzielen werden. Auch das Wissen der Trendforscher ist ungesichertes Wissen: Prognosen basieren auf den verfügbaren Informationen der Gegenwart und der Vergangenheit. Es mag hilfreich sein, ab und zu an den mittelalterlichen Menschen „vor Gutenberg" zu denken. Auch er hat seine und damit auch unsere Zukunft bewältigt!

Mit Fotografie, Telefon, Radio und Film entstanden die alten „neuen Medien", mit deren Anwendungsmöglichkeiten man auch umzugehen erst lernen mußte. Der Einsatz von Medien im Propagandaapparat der Nationalsozialisten machte zum ersten Mal die Verquickung von Medien und Macht deutlich. Aus dieser Erfahrung entstanden die Rundfunkgesetze der Nachkriegsdemokratien. Die Diskussion um das Verhältnis von Demokratie und Medien ist seither nie verebbt und wird in der unmittelbaren und fernen Zukunft noch mehr Aktualität erlangen. Die politischen Parteien haben Mühe, sich von ihren bisherigen Einflußmöglichkeiten zu verabschieden und ein zukunftorientiertes Modell zur Verhinderung monopolisierender Machtausübung im Medienbereich zu entwickeln. Wann genau die Medien begonnen haben, diesen enormen Einfluß im privaten und öffentlichen Bereich auszuüben, läßt sich nicht exakt feststellen, denn die Entwicklung und der Übergang erfolgten fließend.

Erfolgte der Quantensprung mit dem Beginn des Films, des Radios oder des Fernsehens? Fernsehen gehört heute zum täglichen Leben des Durchschnittsmenschen. Es stellt daher nach wie vor die direkteste Möglichkeit dar, Menschen in großer Anzahl zu erreichen und sie in ihren Informations- und Meinungsbildungsprozessen gezielt zu beeinflussen. Obwohl sich heute jeder in der Trafik, in jeder Buchhandlung und in jeder Videothek aus einer Unzahl von Publikationen sein persönliches Informations- oder Unterhaltungs-Menü zusammenstellen kann, hat die Politik beim Fernsehen lange Zeit und in Österreich bis heute die staatliche Hoheit zu behaupten versucht. In Deutschland tendiert die aktuelle Rechtsprechung dahin, Pay-TV in medienrechtlicher Sicht den Zeitungen gleichzustellen, d. h., zu bezahlende Fernsehfilme fallen nicht mehr unter das Rundfunkgesetz. In Österreich beschränken sich lokale Kabelnetz-Angebote noch auf die Ausstrahlung von Standbildern, und damit fallen sie nicht unter das Rundfunkgesetz. Das Pay-TV Programm „Premiere" ist jedoch seit einigen Jahren in Österreich zu abonnieren.

Die Möglichkeit, via Fernsehen der Bevölkerung quasi zu Hause ein Info- und Entertainment-Programm zu servieren, schafft enorme Beeinflussungsmöglichkeiten. Nachrichten und Informationssendungen müssen in öffentlich-rechtlichen Rundfunkanstalten ausgewogen sein, eine Parteinahme zugunsten oder ungunsten einzelner gesellschaftlicher Gruppierungen muß vermieden werden. Eine solche Regelung ist angesichts der Tatsache, daß die meisten Menschen politische Entscheidungen aufgrund von Zeitunglesen und Fernsehen treffen, einleuchtend.

Die österreichische Lösung der gesetzlichen Machtkontrolle hat aber den Blick von der Zukunft abgelenkt. Wie die Erfindung des Buchdrucks die Unterdrückung von Nachrichten unmöglich machte, hat die Einführung von Satelliten- und Kabelfernsehen die Monopolstellung eines nationalen Rundfunks unmöglich gemacht. Die Diskussion um die Privatisierung des Fernsehens ist in den letzten 15 Jahren durch den Entwicklungsfortschritt im medien-elektronischen Bereich beendet worden. Verbreitung der Programme über Kabel machte den Empfang deutscher und schweizerischer Programme möglich, das Satelliten-Fernsehen liefert eine unbeschränkte Anzahl von TV-Programmen ins Haus. Die Kabelbetreiber werden ihre Leitungskapazitäten in Kürze aufrüsten und dann die Möglichkeit zum Empfang Hunderter Programme bieten.

So wurde das österreichische Fernsehen zwar nicht aus der „politischen" Hand gegeben, der wachsende Einfluß nicht kontrollierbarer ausländischer Privatsender aber bisher ignoriert. Der ORF hat in den nächsten Jahren die Folgen zu tragen. Die Werbeeinnahmen, und damit sein Anteil der Eigenfinanzierung, werden drastisch zurückgehen. Unaufhaltsam ist die Durchsetzung marktwirtschaftlicher Bedingungen, das ehemals monopolistische Fernsehen steht längst in Konkurrenz zu den privaten Sendern. Der Zuschauer muß gewonnen werden. Über das Wie darf gestritten werden.

Österreichisches Fernsehen muß nun zeigen, worin es sich von anderen Kanälen unterscheidet. Es muß seinen eigenen Charakter zeigen. Sein Auftrag könnte die identitätsbildende Bindung seiner Zuseher an ein Österreich mit Zukunft in einem gemeinsamen Europa werden. Aber auch in dieser Disziplin wird es sich in Zukunft mit privaten österreichischen Programmen messen müssen.

Was macht den Erfolg der Privaten aus? Privates Fernsehen besteht nur zu einem Bruchteil aus Informations- und Nachrichtensendungen. Den Großteil des Programms bestreiten Unterhaltungssendungen und Werbeeinschaltungen. Denn privates TV finanziert sich ausschließlich aus den Einnahmen für Werbesendungen. Eine hochentwickelte

Demoskopie ermittelt, welcher Zuschauertyp mit welchen Einkommensverhältnissen wann vor dem Fernseher sitzt. „Was will der Zielkonsument sehen? Das soll er bekommen!“, sagt das Privatfernsehen und verkauft den Werbekunden seine Zuschauer, und zwar keine ungeformte Masse mehr, sondern ein Zielgruppenpublikum. Private Fernsehmacher nennen ihre Sendungen dann auch in aller Offenheit: „Werberahmenprogramm“. Der Preis wird in Tausend-Kontakt-Einheiten zu einer bestimmten Zielgruppe abgerechnet. Trotzdem oder gerade deshalb: Die Privaten sind die Erfolgreichen der Stunde. Die Zuseher belohnen das private Programm mit wachsenden Zuschaltquoten.

Wir wissen aus vielen soziologischen Untersuchungen, wie Fernsehen Menschen prägt. Wir wissen, daß Menschen, die viel fernsehen, wenig lesen. Wir wissen, daß Menschen, die viel fernsehen, die Logik der Fernsehwirklichkeit, die sie vorgelebt bekommen, auf ihre eigene Lebenswelt übertragen. Die Fernsehwelt sagt uns: Wir leben in einer Welt, in der Gewalt, Skrupellosigkeit, persönliches Macht- und Gewinnstreben zum Erfolg führen.

Wir wissen, daß Menschen mit niedrigerem Bildungsgrad mehr fernsehen als Menschen mit höherem Bildungsniveau. Wir wissen, daß Kinder, die viel fernsehen, drastische Lese- und Schreibschwächen, vegetative Störungen und chronische Konzentrationsunfähigkeit entwickeln. Es spricht also viel gegen das Fernsehen. Trotzdem ist das Fernsehen, was seine Zukunft betrifft, das Kernstück der neuen Medien im privaten Bereich. Weder Verweigerung noch Jammern wird uns auf die Dauer von der Pflicht befreien, vernünftig und differenziert aus dem Angebot an Programmen zu wählen.

Als neues Schlagwort in unserer Informationsgesellschaft hat sich „Multi-Media“ etabliert. Multi-Media heißt übersetzt einfach „viele Medien“. Aber ist es so einfach? Versuchen wir, ein wenig Ordnung in die schöne neue Medienwelt zu bringen. Mit dem Computer hat eine technische Erfindung wieder einmal den Lauf der Welt verändert. Computer schaffen Arbeitsplätze, Computer vernichten Arbeitsplätze, Computer können vieles besser machen, als es der Mensch kann, mit Computern können Menschen in kürzester Zeit mehr kaputtmachen als je zuvor. Der Computer funktioniert nicht mehr mechanisch, sondern elektronisch. Die Buchstaben werden nicht mehr gesetzt, sondern gespeichert. Der Computer arbeitet nicht mit Blei, sondern mit Daten. Er ist eine Maschine, die andere Maschinen steuern kann. Autofabriken brauchen keine Menschen mehr, sondern Roboter, die von Computern gesteuert werden. Der gute Computer ist also im Idealfall ein Automat für spezielle Aufgaben, für dessen Bedienung wir möglichst nichts extra lernen müssen.

Das Fernsehen ist kein Computer und für jeden relativ leicht zu bedienen. Ein Videorecorder kann, wie gesagt, auch interessierte Laien zur Verzweiflung bringen. Bedienerfreundlichkeit ist ein Kernthema, wenn es um die Zukunftschancen der Neuen Medien im sogenannten Heim-Sektor geht. Der Heimcomputer, den die Werbung als Herzstück des neuen Medienzeitalters preist, ist noch lange kein freundlicher Automat. Computer zu bedienen, muß man erlernen, genauso wie man Auto fahren lernen muß, und der Lernaufwand scheint in etwa vergleichbar. Der Multi-Media-PC steht heute auf den Wunschlisten der Kinder, er ist das „Moped", welches dem Fahrrad folgt, bei Kindern, deren erstes „Fahrrad" der Game-Boy oder die Sega-Konsole war. Die Eltern lassen sich überreden, weil der PC, das weiß man ja, auch später beim Studium von Nutzen sein wird. Von einer massenhaften Verbreitung der PC im Heimbereich, vergleichbar mit den Vereinigten Staaten, sind wir aber noch weit entfernt.

Ein weiteres gängiges Vokabular ist mittlerweile der Begriff „Telekommunikation". Telefonieren begann einmal mit Telegraphenleitungen; heute umspannen Leitungsnetze die Erde, zum Teil mit Satellitentechnik über Umwege oder Abkürzungen durch das All. Aber nur ein Teil der Leitungskapazitäten wird zur Sprachvermittlung benutzt. Schon nehmen viele Briefe ihren Weg als Fax durch die Leitung und brauchen nicht 5 Tage, sondern 50 Sekunden zum nächsten Kontinent. Banken sind on-line miteinander verbunden, Standleitungen geben Kurse zeitgleich von einer Börse zur nächsten weiter – ein Umstand, der die Spekulation mit Kursveränderungen auf die tausendfache Summe der tatsächlichen Güterbewegungen gebracht hat. Firmen sind durch Videokonferenzen miteinander verbunden, Mitarbeiter klären nächste Schritte zur Produktion, zeigen einander am Bildschirm Veränderungen an Produkten und Plänen. Die große technische und ökonomische Herausforderung besteht im Augenblick im Ausbau des Datennetzes. Unser altes Telefonnetz muß in eine „Datenautobahn" umgebaut werden, über die am Ende Video-Telefon oder gar der

Wunsch-Spielfilm auf Knopfdruck ins Wohnzimmer gelangen sollen. Mit welchem Netz – ob im Kabelnetz, im Telefonnetz oder vom Himmel herab –, das ist noch gar nicht ausgemacht. Und trotzdem gibt es schon jetzt eine Einrichtung, die auf relativ bescheidene Weise die Vision von einer multi-medialen Zukunft überhaupt denkbar gemacht hat: Das Internet!

Entstanden ist es ursprünglich in den USA aus dem Zusammenschluß einzelner lokal getrennter Computer mit Hilfe von Telefonleitungen. Benutzt wurden diese Verbindungen, um sich zum Beispiel die Daten-Bibliotheken verschiedener Universitäten gegenseitig zugänglich zu machen. Auch Befehlzentren der US-Army wurden so verbunden. Die rasante Entwicklung im Computerbereich und die damit rasch fallenden Investitionskosten machten es bald auch Privatpersonen möglich, Einblick in öffentliche Datenbanken zu nehmen und, was nahelag, auch untereinander in Verbindung zu treten. Und heute? Mit Hilfe eines Modems schließt man den PC an die Telefonleitung an. Durch einen Vertrag mit einem Internet-Anbieter erhält man Zugang zum Internet. Man zahlt dem Anbieter die normale Telefongebühr (in größeren Städten der Ortstarif) und einen Stundensatz oder eine Monatsgebühr des Netz-Betreibers. Der entscheidende Unterschied zu einer normalen Telefonverbindung besteht darin, daß man im Falle eines Archivbesuches an der Columbia-Universität oder während des Schmökerns in der Internet-Ausgabe von „National Geographic" nicht die Telefonkosten nach Amerika bezahlt. Mit der Schaffung des world-wide-web wurde schließlich eine einfache Programmsprache entwickelt, die es ermöglicht, auch Ton, Bilder und sogar Videosequenzen zu übertragen. Die Datenmengen sind dabei in der Regel größer, als die Datenleistung der Telefonleitung es im Moment zuläßt. Die Daten werden also erst langsam in den Computer eingespielt und anschließend vom Benutzer aufgerufen, angesehen oder auch angehört.

Regionen mit schlechter Infrastruktur, wie die ehemaligen Ostblockstaaten, benützen das Internet für ihren Geschäftsverkehr. Firmen können ihre Produkte weltweit anbieten und ersparen sich so millionenteure Postaussendungen.

Denn: das Internet gehört niemandem! Jeder kann alles über das Internet anbieten, ob es sich um einen Text oder die Schnappschüsse vom letzten Urlaub in Florida handelt. Und wer sich einklinkt, kann es empfangen.

Die Industrie hat diese immensen Möglichkeiten natürlich längst erkannt. Im Internet erproben die elektronischen, die Film- und TV- und die Printindustrien die kommerziell attraktiven Multi-Media-Anwendungen. Kaufhauskataloge im Internet gibt es schon heute, Produkte können via Bildschirm angeschaut, bestellt und bezahlt werden. Bald schon kann man nicht nur seine Bestellung, sondern auch den Zahlungsverkehr direkt von zu Hause abwickeln. Man öffnet die TV-Illustrierte im Internet, ordnet das Angebot mit Suchprogrammen, nach Sparten oder Beginnzeiten, und vergrößert sich Fotos im Ausschnitt. Die Industrie träumt vom Spielfilm auf Abruf (Video-on-demand), vom elektronisch übertragenen Buch oder dem On-line-Verkauf der neuesten CDs. Menschen sollen ihre Tageszeitung auf dem Bildschirm lesen. Für die Zukunft beschwört man die Selbstverständlichkeit eines Bildschirmterminals in jedem Haushalt, der Fernseher, Einkaufscenter, Buchhandlung, Video-Store, Telefon, Fax und Heimarbeitsplatz in einem ist. Diese Vision wird uns im Augenblick als „Multi-Media" verkauft.

Hinter aller zur Schau getragenen Euphorie steht jedoch die kommerzielle Frage: wird sich die vernetzte (europäische) Menschheit „rechnen"? Kann der PC eine dem Auto entsprechende Attraktivität erreichen? Beginnt hier wirklich ein neues Zeitalter mit einer neuen Mobilität, der Datenmobilität, die uns immer mehr unabhängig von den heutigen Transportmitteln macht? Werden wir keine materiellen Güter mehr produzieren, weil alles schon nur mehr „virtuell" geschehen wird? Dies wird wohl kaum eintreten, weil der Mensch auch ein auf Sinnlichkeit angelegtes Wesen ist. Den Fähigkeiten des menschlichen Geistes wird zwar zunehmend Beachtung geschenkt, doch nicht alles wird sich im Kopf abspielen können. Der Zugang zu einer Bibliothek via Internet mag zwar zeitsparend sein, läßt sich aber nicht mit der wirklich-sinnlichen Erfahrung eines tatsächlich gemachten Bibliothekaufenthalts gleichsetzen. Zwischen virtueller und tatsächlicher Realität wird es wohl auch in Zukunft einen Unterschied geben. Dafür spricht auch, daß Kinder und Jugendliche, haben sie einmal die Show einer „Virtual Reality" genossen, sich meist lieber wieder anderen Tätigkeiten widmen. Beobachtungen in Spielhallen zeigen, daß die PC-Games hinter den guten alten Spielautomaten oder Flipper-

Geräten zurückstehen. Auch die Vision einer Gesellschaft, die ausschließlich vor leise summenden Computern ihre Arbeitszeit verbringt, wird morgen nicht Wirklichkeit werden.

Aber vieles wird sich tatsächlich verändern.

Klassische Industrien schrumpfen seit Jahren, Dienstleistungsindustrien werden nun in ihrer Entwicklung von den Media-Industrien überholt. Kernindustrien der alten Art werden reduziert überleben, desgleichen die Landwirtschaft. Der materielle Produktionsaufwand und der damit verbundene Güterverkehr könnten im Zeitalter der elektronischen Revolution aber drastisch verringert werden, zu unser aller Nutzen. So behaupten es auch die Trendforscher, deren „Quellen" wiederum die modernen Printmedien sind, die sie in jeder verfügbaren Form aufsaugen, um sie dann in hochdotierten Seminaren verunsicherten Firmenbossen in Form optimistischer Zukunftsanalysen zuzuführen. Was aber wirklich sein wird, bestimmt zusehends die technologisch-elektronische Entwicklung, deren Geschwindigkeit seriöse Prognosen, die ja auf Grundlagen des jetzigen Entwicklungsstandes gründen, unmöglich macht.

Elektronische Datenträger werden Printmedien verdrängen. Am sichtbarsten ist diese Entwicklung im dateiähnlichen Bereich, also bei Nachschlagwerken, Adress- und Telefonbüchern, aber auch Jahrgangskompilationen von Wochenzeitschriften. Die CD-Rom wird uns ein gutes Stück weit in die Zukunft begleiten, sie wird zunächst die Kaufvideos verdrängen, da sie ein ideales Speichermedium für größere Datenmengen ist, die im Augenblick nicht on-line über Telefonleitungen oder Kabelnetze übertragen werden können. Spielfilme auf CD bieten eine größere Bildqualität als Videokassetten, können aber zur Zeit noch nicht auf dem PC angesehen werden. Der CD-Rom-Spieler des PCs „schafft" nämlich bisher nur Spiele, Multi-Media-Anwendungen und Musik. Es muß auch die Frage gestellt werden, wer das eigentlich möchte: Fernsehen vor dem PC zu zweit oder zu dritt. Wie soll ich mir die schöne neue Welt denn einverleiben, etwa im 50-cm-Abstand vom PC-Monitor? Wahrlich kein Feierabendvernügen, und die Fernsehindustrie bietet bisher keine TV-Geräte an, die auch eine Arbeit am PC erlauben.

Wann und ob wir wirklich bereit sein werden für ein Leben ohne Bücher und Zeitungen, muß sich erst weisen. Im Bildschirm liegt derzeit ein großer Hemmschuh für die Verbreitung der multi-medialen Zukunft im privaten Bereich. Der Bildschirm strahlt und flimmert. Wer einen Bildschirmarbeitsplatz hat, darf zwar erwarten, daß der Monitor, den Normen entsprechend, strahlungsarm ist, eine Belastung besteht dennoch. Große Betriebe schicken besonders belastetete Mitarbeiter zu regelmäßigen ärztlichen Untersuchungen. Es ist einfach anstrengend, lange vor einem Bildschirm zu sitzen. Andere Bildschirmarten außer der Bildröhre sind technisch in akzeptabler Qualität oder Größe noch nicht herstellbar. Wer im Beruf vor dem Schirm sitzt, hat wohl am Abend genug davon.

All diese Ungereimtheiten werden im Media-Jubel geflissentlich übergangen, bleiben aber doch ausschlaggebend für das Konsumentenverhalten in bezug auf Multi-Media. Noch hat kaum ein Österreicher einen 35.000,– Schilling teuren 100 Hertz/16:9-Fernseher gekauft.

Kehren wir zur unmittelbaren Zukunft der nächsten vier bis fünf Jahre zurück. 1996 haben deutsche Privatsender begonnen, Österreich-Fenster in ihre Programme einzubauen, was die hiesige Diskussion um Privatisierung oder nicht überholt erscheinen läßt. Die Bertelsmann- oder Kirch-Gruppen werden ein digitales Programmpaket mit ca. 50 Programmen auf den Markt werfen. Kabelnetze, die jetzt schon breitbandfähig sind, werden dieses Paket auch in Österreich anbieten. Die Canal+/RTL/CLT-Gruppe wird mit einem ähnlichen Angebot nachziehen, in das wahrscheinlich auch die deutschen öffentlich-rechtlichen Anstalten einsteigen werden. Zuseher werden sich für den Empfang eine sogenannte „d-box", die die Bestellung und Abbuchung digitaler Programme ermöglicht, kaufen müssen. Setzt sich dieses System schnell durch, ist das Rennen zwischen Daten-Highway/PC und Kabel-/Satelliten-TV für die nähere Zukunft entschieden. Aber auch bei rascher Weiterentwicklung der Leitungskapazitäten werden ganze Spielfilme oder Live-Schaltungen zum Auftritt der Lieblingsgruppe auf Abruf noch eine Weile auf sich warten lassen. Weder im Telefon- noch im Kabelbereich sind derartige Datenleistungen oder technische Neuerungen zur Datenkompression zu erwarten, die es ermöglichen, jedem österreichischen Haushalt sein persönliches Wunschprogramm ins Haus zu liefern.

Es ist nämlich ein enormer Unterschied, ob man eine Stadt mit 100.000 Haushalten über ein Leitungsnetz mit 150 Fernsehprogrammen bestückt oder ob jeder dieser Haushalte ein eigenes Programm bestellt. Video-auf-Bestellung wird in der ersten Phase heißen, daß ein aktueller Spielfilm etwa alle halben Stunden auf einem der digitalen Programme starten und dort bestellt und abgebucht werden kann. Rechnen wird sich das aber erst, wenn feststeht, daß die Haushalte interaktives Fernsehen annehmen werden. Ob der Konsument aber bereit ist, seinen Wunschfilm auch zu bezahlen, oder ob er nicht doch lieber auf das kostenlose, weil werbefinanzierte Fernsehen der Gegenwart zurückgreift, weiß heute niemand. Der durchschnittliche TV-Haushalt zahlt im Augenblick rund 10,– Schilling täglich an Gebühren, das entspricht dem Preis einer Tageszeitung. Durch ein zusätzliches Pay-TV, wie etwa „Premiere", verdoppelt sich dieser Betrag, und schon da hält sich die Akzeptanz dieses Angebotes in Österreich bisher in Grenzen.

Die Annahme durch den privaten Benutzer ist ein großes Fragezeichen für die Anwendungen von Multi-Media in der näheren Zukunft. Solange der Datenhighway, in welcher Form auch immer, nicht bis in jedes Wohnzimmer reicht, werden viele Investitionen sich nicht rechnen. Und wird der Kunde auch wirklich wollen, was er geboten bekommt? Trotzdem wird die Stoßrichtung von Multi-Media erkennbar: Aus den fünf Industriezweigen Telekommunikation, Computer-Industrie, Film- und Fernsehproduktion, dem Heimbereich von Audio und Video und dem Verlagswesen soll eine Multi-Media-Mega-Industrie entstehen. Wer die Wirtschaftsseiten der Zeitungen verfolgt, weiß um die anlaufenden Fusionierungen auf dem amerikanischen und europäischen Markt. Die notwendigen Investitionen erreichen Milliardenhöhen und werden im Vorfeld abgesichert.

Was wird diese neue Industrie anbieten? Zum Beispiel: Interaktives Fernsehen, Video-on-demand, Teleshopping, Electronic-Publishing, multi-mediale interaktive Kunden/Konsumenten-Informationssysteme, Schulungs- und Trainings-Programme in Multi-Media, Document-Sharing, Videoconferencing. Diese Aufzählung gibt z. B. das Programm eines Multi-Media-Kongresses Anfang 1996. Die Sache hat einen Haken: all das gibt es schon!

Eines der wenigen wirklichen Reizwörter einer noch unbekannten Multi-Media-Zukunft lautet „Virtual Reality“: künstliche Wirklichkeit. Im professionellen Bereich werden deren Anwendungen mit großem Einsatz entwickelt. Rechnergestützte Simulationen oder Animationen – das können Trickfilme oder wirkliche Aufnahmen oder eine Kombination von beiden sein – sind durch den Benutzer mittels einer Steuerkonsole oder mit Datenhandschuhen oder ganzen Datenanzügen steuerbar. Die Grundideen stammen noch aus den Kindertagen der Computerspiele und den Simulationstrainern der Flugzeug- und Kampfmittelindustrien. Der Fortschritt bei der Geschwindigkeit und der Größenmenge der Datenverarbeitung wird jedoch in naher Zukunft wirklichkeitsnahe Simulationen ermöglichen. Wer heute im Einrichtungshaus den Grundriß seiner neuen Küche auf Monitor sieht, wird bisweilen schon 3-D-Ansichten geboten bekommen, die den Eindruck „wirklichkeitsnäher“ werden lassen. Er wird in ein paar Jahren einen Datenschirm als Brille aufsetzen, mit der er die Küche betreten und auch benützen können wird. Am AKH in Wien werden Patienten schon seit 1995 mit Hilfe dieser Datenschirme und künstlichen Darstellungen des Patienten-Körpers operiert. Kino-Filme werden sich in immer größerem Maß der Computeranimation bedienen, die auch heute schon verblüffende Resultate liefert. Stellen wir uns nun vor, daß wir in diese Welten dreidimensional eintreten können!

Natürlich mutet ein Mensch mit einer Bildschirm-Maske auf dem Kopf und mit verkabelten Gliedmaßen etwas merkwürdig an. Aber haben wir uns nicht auch daran gewöhnt, eineinhalb Stunden auf eine Leinwand zu starren und dabei bisweilen völlig in das Geschehen einzutauchen? Reisen in imaginäre Welten mit unbekannten Mitreisenden oder mit dem Lebenspartner, virtuelle Besuche in einem Spielsalon oder zu einem Formel-1-Rennen – alles ist vorstellbar.

Wie seltsam wäre einem mittelalterlichen Menschen die Idee des Telefons vorgekommen? Das Telefongespräch der Zukunft wird vielleicht aber der virtuelle Besuch eines Freundes aus Australien sein!

Auf dem Gebiet der Freizeit-Industrie werden die multi-medialen Anwendungen wohl ihre phantasievollsten Blüten treiben. Lassen wir uns überraschen!

Die schnellsten Veränderungen werden die Anwendungen von Multi-Media im professionellen Bereich zeigen. Hier sind der finanzielle Einsatz und die kommerzielle Nutzung kalkulierbarer als im Home-Bereich, der ausbildungsintensive Einsatz der neuen Technik ist ergebnisorientiert, Spezialisten lassen sich leichter für eine Einarbeitung gewinnen als private Konsumenten.

Im Wiener AKH wurde, wie erwähnt, ein OP-System entwickelt, das mit Recht als Cyber-Chirurgie bezeichnet werden darf. Wie ein Jet-Pilot im Instrumentenflug arbeitet der Operateur durch eine 3-D-Brille mit virtuellen, also vom Computer erzeugten Darstellungen seines Operationsfeldes. Das dreidimensionale Abbild des Körpers eines Patienten, welches mit Hilfe der schon länger bekannten Computertomographie erfaßt wurde, macht den Patienten „gläsern", der Computer legt ein Kamerabild und die virtuelle Abbildung übereinander, Sensoren an Patienten, Kamera und OP-Werkzeugen sorgen für die Deckungsgleichheit der beiden „Wirklichkeiten". Durch seine Brille sieht der Chirurg den Patienten und die computerberechnete, künstliche Darstellung. Vorher geplante Operationsschritte können sichtbar auf das wirkliche Patientenbild gelegt werden und weisen dem Chirurgen den Weg des Skalpells. Der nächste Entwicklungsschritt wird die Operation über den Datenhighway sein. Die Operation wird ein Roboter durchführen, während der Chirurg Tausende Kilometer entfernt an einer Steuerkonsole sitzt. Die Daten des Patienten werden von Computer zu Computer über eine Standleitung übertragen.

Der Bildschirm wird im Arbeitsplatzbereich in Zukunft zur Grundausstattung gehören. Es wird keinen Beruf mehr geben, der völlig ohne Computer auskommt. Viele neue Berufszweige werden entstehen, aber auch alle vorhandenen werden sich durch die Allgegenwart des Computers und seiner neuen medialen Fähigkeiten verändern. Führerscheinprüfungen absolviert man in naher Zukunft am Bildschirm. Wer jetzt ins Volksschulalter kommt, wird Computer nicht mehr als Lerngegenstand, sondern als Lehrmedium kennenlernen. Der Übergang zu berufsbezogenen Anwendungen wird nahtlos sein. Der Arbeitsplatz wird, wie schon in früheren Kapiteln ausgeführt, bald schon nicht mehr ortsgebunden sein. Viele Tätigkeiten, wie die Einblicknahme in Akten, Unterlagen, Pläne, werden entfallen, weil sie nie in Papierform erstellt wurden und die Daten am Terminal, das mit einem Zentralcomputer verbunden ist, abrufbar sind.

Ein weiteres Beispiel aus der Gegenwart: Das Porsche-Werk bei Stuttgart ist auf drei Standorte im Umkreis von dreißig Kilometern verteilt. Zwischen den Standorten wurden Video-Konferenz-Systeme installiert. Die Mitarbeiter ersparen sich so aufreibende, zeitaufwendige Fahrten im Stuttgarter Ballungsraum. Video-Konferenzen sind praktisch ohne Anlaufzeit möglich, Probleme können schneller angegangen werden. Das Fazit nach den ersten zwei Jahren: Die nächste Ausbauphase mit Entwicklungspartnern ist im Gange, eine Verbindung mit allen Vertriebsorganisationen ist geplant.

Netzwerkverbindungen werden auch im medizinischen Bereich alltäglich sein. Röntgenbilder, Laborauswertungen, fachärztliche Untersuchungen wird Ihr Hausarzt aus einem gemeinsamen Rechnerterminal abrufen. All diese Möglichkeiten werden Sie vielleicht auf eine Anwendung in Ihrem Berufsbereich übertragen können.

Voraussetzung ist in jedem Fall ein Datennetz, dessen Handhabung uns in Zukunft so selbstverständlich sein wird, wie dies jetzt mit dem Wasser- oder Stromleitungsnetz der Fall ist. Viele Berufe werden durch diese Entwicklungen ihre Existenzgrundlage verlieren. So wie die Setzer in den Zeitungen in den letzten Jahren durch den Computersatz verdrängt wurden, werden in Zukunft weitere Berufe verschwinden. Dafür werden aber neue Berufe an ihre Stelle treten, wie z. B. jener der Layouter bei Zeitungen und Zeitschriften.

Viele Menschen werden ihr berufliches Betätigungsfeld wechseln müssen, weil die wirtschaftliche Entwicklung nichts anderes zuläßt. Solche Wechsel hat es in der Wirtschaftsgeschichte der letzten hundert Jahre bereits mehrmals gegeben. Neu sind die elektronischen Medien und die Gewißheit, daß man in einem neuen Beruf mit diesen Medien arbeiten wird müssen.

Eine weitere Kernfrage betrifft die zukünftige Präsentation von Politik in den Medien. Eine allgemein angestellte Beobachtung läßt den Schluß zu, daß parallel zu Entertainment in Zeiten, in denen es uns allen gut geht, das Info-tainment, also die Kombination von Information und Unterhaltung, die größte Rolle spielt, woran auch die Politik schon heute nicht mehr vorbei kann. In vermeintlichen Krisenzeiten wird die Sehnsucht nach Infotainment, also nach dem Unterhaltungswert von Personen öffentlichen Interesses, wieder abnehmen. In Zeiten, in denen politische, militärische oder wirtschaftliche Probleme im Vordergrund stehen, interessiert es nicht, wie schlagfertig etwa der israelische Ministerpräsident vor der Fernsehkamera ist oder ob die Krawatte des amerikanischen Präsidenten zum Anzug paßt. Je krisenanfälliger die Gesellschaft wird, umso stärker werden Substanz und Inhalt gefragt sein. Ein Trost für Politiker?

Wohlstand ist ein beruhigendes Signal, das heißt: Es geht uns im Grunde gut, wenn wir Politiker nach ihrem Abschneiden bei Diskussionen oder gar bei Talkshows im Fernsehen beurteilen! Sind Politiker in die Geiselhaft einer Mediengesellschaft genommen? Welches Bild von Politik und Politikern wird Jugendlichen heute über die Printmedien und über Radio und Fernsehen vermittelt? Einerseits bedienen sich Politiker bekannterweise der Medien, um in der Öffentlichkeit wirksam zu sein, andererseits sind sie dann oft mit ihrer Darstellung nicht zufrieden. Trotzdem scheint es unwahrscheinlich, daß die wahre Persönlichkeit völlig hinter dem Medien-Image verschwinden kann.

Jugendliche sind angesichts der für sie offensichtlichen Widersprüchlichkeit von in den Medien erzeugten Leitbildern in der Politik und des Auftretens von Politikern im „wirklichen" Leben oft verwirrt. Junge Menschen suchen zu ihrer Lebensbewältigung Vorbilder. Sie finden sie heute vor allem in den oder über die Medien. Das Fernsehen schafft einerseits Idealisierungen, andererseits sorgt es für Entthronungen. Und damit haben alle ein Glaubwürdigkeitsproblem: die Kirche, die Familie, die Wirtschaft, der Sport und die Politik. Damit aber ein Politiker überhaupt etwas bewirken kann, muß er identitätsstiftend, muß er Leitbild sein. Wir wissen von der Unternehmensphilosophie, daß Firmen, um erfolgreich und identitätsbildend zu sein, Leitbilder entwickeln, die immer viel idealer sind, als es die Firma in Wirklichkeit ist. Zwischen Anspruch und Realität ist auch bei Unternehmen oft ein großer Unterschied! Trotzdem sind Firmen, die Leitbilder haben und die danach arbeiten, selbst wenn sie die Idealvorgabe nie erreichen, erfolgreicher als Firmen ohne Identität und Ideal. So verhält es sich auch in der Politik. Auch der Politiker muß ein Leitbild darstellen. Wird er dann ernsthaft daran gemessen, so kann es schon vorkommen, daß sein Bild in der Realität zerbricht. Tragisch ist der Fall eines Politikers, dessen echte Substanz in sein mediales Erscheinungsbild schwer übertragbar ist. So einer kann dann zum echten Opfer der zeitgenössischen Medienkultur werden.

Die Entwicklung im Bereich der Medien schreitet rasant voran. Sie erzeugt neue Herausforderungen an unsere Gesellschaft, bietet aber auch die Möglichkeit, neue Berufe, neue Erfahrungen und neue Lebensfelder zu schaffen. In diesem Zusammenhang wäre es doch ein lohnendes Ziel, die Hauptstadt eines kreativen Landes als Medienzentrum zu positionieren. Warum nützt Wien diese Chance nicht? Wien hätte eigentlich von seinem kulturellen Hintergrund, vom Bildungserbe und der Vielfalt der Interessen her eine große Chance, ein solches Medienzentrum zu werden. Eines der größten Probleme, die diese Stadt hat, ist das Fehlen einer Grundsatzentscheidung. Einerseits wird zwar viel gefördert und subventioniert, andererseits hat sich aber niemand gefragt: Was will ich eigentlich in dieser Stadt haben? Welcher Dienstleistung oder welchem Industriezweig gebe ich den Vorrang? Es fehlt einfach an einer klaren Ausrichtung der Stadtpolitik. Ich hoffe sehr, daß es eines nicht mehr fernen Tages gelingen wird, einen solchen Grundsatzbeschluß herbeizuführen und damit Wien nicht nur als Zentrum internationaler Kommunikation und Begegnung, sondern auch als Heimstätte einer international orientierten Kommunikationsindustrie zu etablieren.

LEBEN INNER- UND AUSSERHALB DES KOKONS

Für Menschen heißt Leben – wie das Lateinische,
also die Sprache des vielleicht zutiefst politischen unter
den uns bekannten Völkern, sagt – so viel wie
„unter Menschen weilen" (inter homines esse) und
Sterben so viel wie „aufhören, unter Menschen zu weilen"
(desinere inter homines esse).

Hannah Arendt

Etikettierungen, die derzeit „in" sind, um die sogenannte heutige Jugend zu beschreiben, reichen von „narzißtisch, gefühlskalt, egoistisch" bis zu „beziehungsunfähig und verantwortungslos". Die Fragen, die dann hier logischerweise anschließen, lauten etwa: Wohin werden diese Egomanen den Kurs der Welt steuern? Wie werden sie Kinder erziehen, für die Alten sorgen oder Beziehungen über längere Zeit aufrechterhalten können? Klischees finden zwar schnell Zustimmung, sind aber – wie man aus Erfahrung wissen sollte – nicht dazu geeignet, gesellschaftliche Phänomene auch nur ansatzweise ernsthaft zu beleuchten.

Ist die „Generation X" also auch eine Generation der „emotions anonymous", der anonymen Gefühle, könnte man fragen. „Ich bin extrem kopflastig, versuch' dem zu entfliehen, aber es geht nicht." Diese Aussage einer 29jährigen Künstlerin faßt die Einstellung einer Generation zusammen, die im Gegensatz zu den Eltern sich des Konflikts zwischen „Kopf und Bauch" zwar bewußt ist, deren Lebensgefühl aber auch nicht den emotionalen Trips und Selbsterfahrungsgruppen der jetzt 40jährigen entspringt. Eine Flower-Power-Generation mit Gefühlsexhibitionismus und weltumspannender Nächstenliebe, mit Blumen in den Augen und einem großen Herzen für alle – das sind die Teenies und Twenties der 90er Jahre gewiß nicht. Was Gefühle betrifft, scheinen sie „drüberzustehen". Oder ist dies auch nur ein weiteres Stereotyp, das dieser Generation unterstellt wird? Gibt es „Trends im Bereich der Gefühle"?

Katharina, 17 Jahre, Schülerin

Es ist wichtig, Gefühle zu zeigen, um es nicht zu verlernen. Es ist auch eine Art und Weise, wortlos zu kommunizieren. Man muß aber lernen, mit Gefühlen richtig umzugehen, sie nicht zu verdrängen, aber sie auch nicht in jeder Situation frei herauszulassen.

Stefan, 19 Jahre, Student

Im Privatleben ist es extrem wichtig, seine Gefühle ehrlich mitzuteilen. Im Berufsleben allerdings ist es in den meisten Fällen nicht von Vorteil, sich anderen gegenüber zu sehr zu öffnen, da man dadurch Angriffsflächen bietet. Man sollte im Grunde viel mehr Rücksicht nehmen auf die Gefühle anderer. Dies scheint mir aber in unserem zivilisierten System leider schwer möglich zu sein.

Die Trendforschung, also das „Geschäft mit der Zukunft", schweigt sich über dieses Thema aus. Der emotionale Bereich läßt sich nur sekundär aus der Beschreibung der Lebensstile und Einstellungen der jungen Generation zu Themen wie Aggression, Liebe und Sexualität erschließen. Wenn man dabei nicht bei demoskopischen Umfrageergebnissen stehenbleibt, kommt man zu dem Schluß: Eine gefühllose Generation sind sie nicht, die jungen Menschen von heute, eher eine Generation, die im emotionalen Niemandsland lebt, das zwischen einer nicht mehr gültigen Romantik und einem noch nicht erschlossenen emotionalen Raum liegt.

Die Generation der Unterdreißigjährigen ist fern von jeder Sentimentalität zwischen Almenrausch und Las-Vegas-Kitsch, die ihre Großeltern oder Eltern noch verherrlichten. Andererseits erlebte sie das Scheitern ihrer Vorgänger, der Baby Boomer, bei dem Versuch, Intellektualität und Emotionalität unter einen Hut oder in ein Leben zu bringen. Denn die Karriereziele der Yuppies waren zunächst einmal nicht mit emotionalen Qualitäten wie Wärme, Zuneigung, Aufgeschlossenheit für die eigene und für andere Innenwelten vereinbar. Karriere, Aufstieg, Erfolg waren verbunden mit Durchsetzungsvermögen, Härte, Intellekt und einer großen Portion kühler Vernunft. Die Rechnung ging für viele der jetzt 40- bis 50jährigen, die sich als wohlhabend oder mittelständisch einordnen lassen, auch auf. Doch es blieb ein Nachgeschmack und die berühmte Frage: Ist das alles gewesen?

Die Hetzjagd nach Erfolg machte eine Kehrtwendung: Balancing war gefragt. Einseitiges Karrierestreben war offensichtlich der Entwicklung von Herz, Gemüt und Partnerschaft nicht förderlich. Die Saulus-Paulus-Entwicklung im Management manifestierte sich in der Suche nach neuen „weiblichen" Qualitäten in der Führung von Unternehmen, in einer Fülle von Ratgebern, wie erfolgreiches Berufsleben mit erfüllenden mitmenschlichen Beziehungen zu vereinbaren wäre. Und Gerd Gerken veröffentlichte „Management by Love": Mehr Erfolg in der Wirtschaft durch Menschlichkeit: Ein Sachbuch über Management, das von der Liebe handelt. So weit, so gut. Doch die Nicht-Verwirklichung von *Management mit Gefühl* oder *Politik mit Gefühl* ist überall sichtbar. Deswegen nimmt die „Generation X" solche offensichtlich von vornherein zum Scheitern verurteilten Kämpfe für mehr Herz (für Tiere oder Kinder) gar nicht mehr auf. Sie geht in Emigration. Dies hat ihr den Vorwurf der älteren Generation eingebracht, egozentrisch, desinteressiert, kühl und gefühllos zu sein. Daß diese Generation aber keine Gefühle hat, ist mit Sicherheit ein simplifizierendes Vorurteil.

Nach einer Untersuchung[1] des Österreichischen Instituts für Jugendforschung aus dem Jahr 1994 („Zwischen Engagement und Emigration") haben junge Menschen im Alter von 15 bis 25 Jahren keine emotionalen Bindungen mehr an politische Parteien. Engagement jeglicher Art findet nicht mehr statt. Jugend ohne Gefühl, ohne Mitgefühl, ohne Interesse? Im Widerspruch dazu liest man in der Jugend-Wertestudie (ÖIJ, 1994), daß immerhin 68% (!) der 16- bis 24jährigen die Frage, ob sie in der letzten Zeit von etwas begeistert waren oder sich für etwas ganz besonders interessiert hätten, mit „Ja" beantworteten.[2]

Generation der Widersprüche? Es könnte aber auch sein, daß diese Jugend ein wenig mehr Gespür für Ehrlichkeit hat als ihre Vorgänger. Zweifel, Suche, Verwirrung und der mühsame Weg nach neuer Identität verdecken erkennbare Gefühlsschablonen vor der Außenwelt.

[1] Friesl u. a.: Zwischen Engagement und Emigration. Studien zur Jugendforschung 94/1

[2] Österreichische Jugend-Wertestudie. Studien zur Jugendforschung 1994/3, S. 17

Deswegen nennt man sie vermutlich auch so gerne „Generation X“ und hat ein wenig Unbehagen vor ihr, weil die Vorgänge im Innern der jungen Menschen nicht vorhersehbar sind. Weil man nicht weiß, was letztlich aus dem Kokon schlüpfen wird.

„Weil sie selber nicht wissen oder nicht wissen wollen, wo sie stehen, weil sie sich weder auf der Seite der gesellschaftlichen Gewinner noch auf der Seite der Verlierer wohl fühlen, verspüren die Polit-Passivisten von Zeit zu Zeit Gefühle der Wut und der Ohnmacht angesichts der Welt um sie herum.“[3] Die scheinbare stoische Gelassenheit der jungen Generation entspringt einerseits der notwendigen Distanz, um eigene Ansprüche und Lösungsmöglichkeiten finden zu können, andererseits aber ist sie auch Mitgift einer Kultur und Gesellschaft, die Kontrolle über die Gefühle favorisierte. Mit den exzentrischen Bemühungen, verdrängte Gefühle in esoterischen oder therapeutischen Wochenendseminaren heraufzuholen und sie zu bearbeiten, ist offensichtlich auch kein Durchbruch gelungen. Das Lebensgefühl der „Generation X“ ist „Warten auf Godot II“.

„Sie sind nicht unkritischer als die kritischen Veteranen, aber sie sind müde, zu kritisieren, und sie sind nicht unpolitischer, aber sie sind müde, zu politisieren“ – so die „Spiegelreportage“ 1994.[4] Glaubt man den Umfragen, so haben diese Jugendlichen der Neunziger sehr wohl ihre Träume, Visionen und Sehnsüchte. Sie haben die Welt noch nicht abgeschrieben, aber sie stellen resignierend fest, daß schon den Generationen vor ihnen trotz eifrigen Bemühens nicht gelungen ist, eine bessere Welt zu schaffen. Und so fragen sie sich: Wie sollen wir es zustande bringen? Und warum überhaupt wir? Dieses Unvermögen, irgendetwas noch in den Griff zu bekommen, steht hinter der scheinbaren Gefühllosigkeit einer Generation, die mehr Information, mehr Wissen, mehr Welt in sich aufzunehmen hat als je zuvor. Wenn die Orientierung fehlt, ist es schwierig, zu fühlen und zu entscheiden. Die Frage, die uns dabei offensichtlich ängstigt, lautet: Wer oder was wird dieses Vakuum füllen? Wird sich diese nicht greifbare Jugend in Bewegung setzen? Und wenn – wohin? Diese Fragen beschäftigen Politiker, Soziologen, Jugend- und Trendforscher. Aggression, Extremismus,

---

[3] Marchewka, Petra: Immer auf der Suche. Sehnsüchte und Bindungsängste der 89er, Hamburg 1995, S. 113

[4] Spiegel special, November 1994, S. 59

Fundamentalismus sind bereits ein Reservoir für kollektive Gefühlsdefizite. Vielleicht ist es aber auch falsch, alle nicht bewältigten Probleme der sogenannten „Generation X" zu überlassen. Vielleicht wäre es gut, mit mehr Geduld auf das Leben nach dem Kokon zu warten.

Susanne, 25 Jahre, Studentin

Was Partnerschaft betrifft, bin ich Freidenkerin. Ich glaube nicht, daß ich den üblichen Weg gehen will. Eine Beziehung sollte etwas Freies sein. Natürlich sollte man sich gegenseitig unterstützen, aber man sollte eben auch tolerant sein. Für mich ist eine Beziehung etwas Fruchtbares, was bedeutet, daß jeder für sich etwas weiterbringt.

„Cocooning" ist eine Wortschöpfung, die aus den USA kommt und auf Faith Popcorn zurückgeht. Sie beschrieb mit dem Bild der Schmetterlingslarve in den späten 80er Jahren den Trend zum Rückzug in das Privatleben, um sich einer immer komplexer werdenden Welt und ihren Problemen nicht stellen zu müssen. Privatisierung im Leben des einzelnen war angesagt – und ist es noch immer. Das Motto lautet: „Wir spinnen uns in einen Kokon ein, um zu überleben". Warum dieser Rückzug, diese Flucht in die „kleine Lebenswelt"? Ist es tatsächlich die Überforderung mit einer immer komplizierter werdenden Welt, die die Menschen zunehmend in die „Privatisierung" treibt? Oder ist Cocooning die Folge der Resignation angesichts anscheinend unveränderlicher, unbefriedigender Zustände? Genügt uns die mediale Pseudorealität, die unaufhörlich in unsere Wohnzimmer flutet, die wir aber nach Belieben ein- und ausschalten oder einfach wechseln können? Man führt nicht nur sein Familien- bzw. Beziehungsleben im Kokon, sondern gestaltet sich auch innerhalb der privaten Beziehung eigene Bereiche. Das heißt: In einer Partnerschaft gibt es separate Einkommen, Bankkonten, Freundeskreise und manchmal auch getrennte Urlaube.

Man weiß nun wohl, daß diese gesellschaftliche Entwicklung nur die konsequente Fortsetzung eines Strukturwandels in der Gesellschaft ist. Seit der zweiten Hälfte dieses Jahrhunderts sind Frauen sowohl emotionell als auch finanziell unabhängiger geworden, was wiederum heißt, daß die Rollen innerhalb der Beziehungen und der Familien neu definiert werden müssen. Jeder scheint sich zuerst einmal auf die Suche nach sich selbst – nach seinem eigenen Ego – zu machen. Zweifelsohne entstehen bei dieser Neugestaltung von Beziehungen viel Aggression und auch viel Leid, aber es ist offensichtlich, daß die Modelle und Rahmen der Vergangenheit für die Generation von heute nicht mehr in der alten Form lebbar sind. Wir müssen erst neue und funktionierende Formen des Zusammenlebens finden. Und man kann kein Omelett zubereiten, ohne vorher Eier zu zerschlagen.

Eines läßt sich deutlich aus der Literatur und den Studien zur Jugendforschung herauslesen: der Wunsch nach mehr Authentizität und Offenheit.

> *Anna, 25 Jahre, Studentin*
>
> *Ich glaube, daß wir heute über unsere Gefühle und unseren Zustand viel besser sprechen können, als unsere Eltern es konnten. Für mich ist es selbstverständlich, offen über meine Gefühle und meine Sexualität zu sprechen, was meine Mutter nicht konnte – und dadurch hat sich ja auch die ganze Sprache geändert.*

„Ich möchte sagen, die Liebe ist die größte Macht auf Erden", sagt der Zauberer Merlin im Zeichentrickfilm „Merlin und Mim". Vom Scheitern in der Liebe – so könnte man die Geschichte der Menschheit von ihren Anfängen bis in die Gegenwart beschreiben. Im Namen der Liebe wurde immer schon gern gekämpft, es wurden Kreuzzüge geführt und Rosenkriege. In 83 Staaten der Welt herrschte im Jahr 1995 Krieg. Persönliche Beziehungen scheinen immer schneller in die Brüche zu gehen, 38 von 100 Ehen werden geschieden, Kinder werden (noch immer) körperlich mißhandelt. Geliebt wird auch in Zeiten von „Licht ins Dunkel" und „Nachbar in Not" immer weniger. Ob nun Liebe als Eros oder Agape definiert wird, ob man individuelles oder kollektives Schicksal betrachtet – die Menschheit hat in diesem Bereich immer wieder versagt. Auf keinem Gebiet scheint es mehr verbrannte Erde zu geben als auf dem Boden der Liebe.

Wie kommt es aber, daß eine Jugend, die mit den Etikettierungen Gefühllosigkeit, Egozentrik, Narzißmus und Bindungsangst versehen wird, gerade den Bereich „Familie" in ihrer Wertigkeit an die erste Stelle rückt?[5] Zwischenmenschliche Beziehungen rangieren vor Arbeit und

---

[5] Österreichische Jugend-Werkestudie, Studien zur Jugendforschung 1994/3, S. 20

Erfolg. Sind die 15- bis 25jährigen nur Sprachrohr einer kollektiven Sehnsucht nach Bezogenheit, die am Ende dieses Jahrtausends in weitere Ferne als je zuvor gerückt zu sein scheint? Oder ist es nur die Spielvariante des Cocooning: wenn schon Rückzug vor der Gesellschaft, dann wenigstens mit Familie & Co.?

Dagmar, 23 Jahre, Kunststudentin

Die Tradition bricht irgendwie auseinander. Teilweise finde ich das auch gut so, teilweise hat es natürlich Negatives: Der Familienzusammenhalt ist nicht mehr so gegeben. Es wäre schön, wenn es mir gelingen könnte, eine Familie zu haben.

Ist es ein eigensinniges Bemühen einer Generation, die die Lügen der Liebe, die ihre Eltern begangen haben, noch vor Augen hat, es doch auch zu versuchen? Was hat den Weg zu dieser (neuen?) Sehnsucht nach Familie und der Schwierigkeit, Familie und Ehe im traditionellen Sinn wiederzubeleben, gepflastert? Die 50er Jahre zeigten auf dem Gebiet Ehe und Sexualität eine für die heutige Zeit lieblich anmutende Naivität, die aber nur die starken Repressionen einer doppelbödigen Moral zudeckte. Die Zeit, „als man noch heiraten mußte", ist für ihren Absolutheitsanspruch in Sachen Ehe und Familie, ihre die Frauen abwertende Haltung und eine kirchen-ideologische Sexualaufklärung bekannt. Liebe unter diesen Vorzeichen ist für die Jugendlichen in den 90er Jahren so unehrlich wie die Schlager-Hitparade der damaligen Zeit.

Vorläufer einer neuen sexuellen Freiheit wurden in den 60er Jahren spürbar. 1961 wurde die Pille als Empfängnisverhütungsmittel zugelassen, und eine neue Ära der Sexualmoral brach an. In den 70er Jahren wurde die neue Freiheit mit der Hippie-Bewegung und der Verkündigung des Wassermann-Zeitalters hochgehalten. Man mußte nicht mehr heiraten und durfte in Wohngemeinschaften leben. Der Kampf gegen Konservativismen und Etabliertes schien gewonnen. In den 80er Jahren widmete man sich dann voll und ganz der Abnabelung von alten Sexualvorstellungen, genoß in den Anfängen dieses Jahrzehnts die neuen Freiheiten in vollen Zügen und widmete sich noch den in den 70er Jahren begonnenen Diskussionen um die Beziehungsprobleme. Psychologie und Hinterfragen waren „in". Verlobung und kleinbürgerliche Beschränkung waren „out". Homosexuelle und lesbische Liebe konnte thematisiert werden. Als alle Formen von Beziehungen endlich analysiert waren und Sexualität ohne schlechtes Gewissen genossen werden konnte, meldete sich ein Virus aus Afrika. Die Krankheit AIDS sollte das Erleben von Liebe, Sex und Beziehung für die heranwachsende Generation und ihre Kinder neuerlich verändern.

Abgesehen von der Bedrohung durch das HI-Virus, scheint es aber für die „Generation X" keine Einbußen an ideellen Freiheiten im Bereich der Liebe und Sexualität zu geben. „Es gibt keine endlosen Diskussionen in Beziehungen mehr", meinen Vertreter der neuen Generationen. „Man muß für nichts mehr kämpfen." Vieles ist also ausgefochten. Illusionslosigkeit macht sich breit. Die für die Vorgänger so erstrebenswerte Freiheit in Beziehungen wird als Wert nicht mehr erkannt. Es scheint für diese Jugend nichts mehr zu geben, was zu erkämpfen wäre. Der Spannungsbogen zwischen Realität und Wunschtraum, der für die älteren Generationen früher noch vorhanden war, ist in sich zusammengebrochen. Was Beziehungen betrifft, ist heute alles möglich. Mit einer Einschränkung, denn mit der Errungenschaft der neuen Freiheiten kam auch die Gefährdung. Genauer betrachtet, ist es nur die Generation der jetzt 35- bis 40jährigen, die eine kurze Zeit des wahren High-Life erleben durfte, ohne Furcht vor Schwangerschaft, AIDS und gesellschaftlicher Disqualifikation. Was für die nachfolgenden Jugendgenerationen bleibt, ist ein Rest an erworbenen Freiheiten – gepaart mit Angst und Sehnsucht. „Ich finde, es verlangt erstaunlich viel Energie, sich selbst davon zu überzeugen, daß der Mensch fürs Leben nicht einfach an der nächsten Ecke wartet. Am Ende, glaube ich, sind wir dann doch nicht davon überzeugt. Ich weiß, daß ich es zunehmend schwieriger fand, die Pose gefühlsmäßiger Selbstgenügsamkeit aufrechtzuerhalten...", sagt der Held in einem Roman von Douglas Coupland.[6]

Aus dem fortschreitenden Rückzug in die Privatheit resultiert auch eine gnadenlose Überforderung des privaten Lebensbereiches. Dort sollen alle Bedürfnisse des einzelnen sofort gestillt werden – ein zum Scheitern verurteiltes Unterfangen. Eine Neudefinition des Begriffes „Lebensqualität" steht an. Nicht die Qualität meiner Umgebung, sondern die Qualität meiner Beziehungen zu dieser Umgebung entscheiden über mein Lebensglück oder -unglück. Die Kultur der Bezie-

---

[6] Coupland, Douglas: Life after God. Die Geschichten der Generation X, Berlin 1995, S. 64

hungen muß gefördert werden. Beziehung aber ist Selbstzweck, sie trägt ihren Lohn in sich selbst – und deshalb kann man kein Geschäft mit ihr machen. Wer also sollte ein Interesse an ihrer Kultivierung haben? Hier sind in besonderem Maße wohl jene Institutionen gefordert, die am Strukturwandel der Gesellschaft insofern beteiligt sind, daß sie die Rahmenbedingungen für neue Strukturen und Modelle schaffen, also Politik und Schule.

Die Entsolidarisierung der Gesellschaft ist eine der bedenklichsten Tendenzen unserer Zeit. Erst wenn uns bewußt wird, daß es uns nur so gut geht, wie es *uns allen* geht, haben wir eine reelle Chance für ein menschenwürdiges Zusammenleben. Gerade in der Solidarität liegt eine der größten Kraftquellen menschlicher Entwicklung. Überraschenderweise sehen gerade viele junge Menschen in dem Begriff Solidarität zunächst das Fordernde. „Du sollst solidarisch sein“, das heißt: Kümmere dich um die Schwachen, hilf den Benachteiligten. Erst nach längerem Überlegen wird deutlich, wie wunderbar es sein müßte, in einer wahrhaft solidarischen Gesellschaft zu leben: Solidarität ist ein Geben und Nehmen, ein Sich-verlassen-Können, das Existenzängste minimiert.

Die Familie der Zukunft wird sich vom alten Bild der Familie lösen müssen. Man wird liberale Formen finden müssen, die die geforderte Gleichberechtigung innerhalb der Partnerschaften wirklich lebbar machen. Familie hat zu tun mit einer Ursehnsucht nach heterosexueller Geborgenheit, doch diese Grundkonstante muß sich weiterentwickeln. Frauen werden in Zukunft nicht nur die gleichen Ausbildungs- und Berufsmöglichkeiten wie Männer haben, sondern es wird sich in der künftigen Generation auch viel im öffentlichen und privaten Verhalten der Männer ändern, die noch viel mehr als heute bereit sein müssen, auch ihren Part in der Erziehung von Kindern zu übernehmen, denn die „vaterlose Gesellschaft“ bietet offensichtlich nicht das Gleichgewicht in den Familien- und Gesellschaftsstrukturen.

Der Wunsch nach Nachkommenschaft ist auch in der jetzt heranwachsenden Generation vorhanden, wenn sich auch manche Wertigkeiten hinsichtlich der Zeitabläufe verändert haben. Kinder werden erst dann gewünscht, wenn die eigenen Berufsziele verwirklicht und die eigenen ideellen oder materiellen Ansprüche erfüllt sind. Wir alle leben in einer Zeit, in der es möglich ist, viele persönliche Anlagen und Bedürfnisse zu entdecken und zu leben. Dies ist an und für sich ein positiver Trend, der zu mehr Freiheit und Verantwortung führt. Das Leben in der Gemeinschaft orientiert sich immer an den beiden Grundbedürfnissen von Freiheit und Individualität einerseits, an Bindung und Symbiose andererseits. Hier den Ausgleich zu finden zwischen Freiheit und Verantwortung, Nähe und Distanz, ist die Aufgabe, der sich keine Generation entziehen kann. Dieses Ziel kann aber niemals durch Gebote oder Gesetze erreicht werden, sondern nur durch mühsame Prozesse des Reifens, Bewußtwerdens und Veränderns.

„Romantische Liebe ist zu einem wichtigen Thema für fast alle Altersgruppen in dieser Gesellschaft geworden" – die Zahl der Scheidungen spiegelt das wider. „Wie die meisten Personen über achtzehn vermutlich wissen, ist eine langfristige Beziehung viel komplizierter und fordernder als eine stürmische, heftige Liebe. Der Mangel an Vorbereitung für Liebe und Ehe scheint eine in unserer Kultur verankerte Annahme wiederzugeben, daß wir alle irgendwie schon wissen sollten, wie wir gut damit fertigwerden können. Wir wissen es nicht."[7] Das Ziel, uns so gut wie möglich für langfristige und reife Beziehungen vorzubereiten, ist sinnvoll. In schlechten Beziehungen ohne wachstumsfördernde oder heilende Tendenzen zu verharren, ist nicht sinnvoll. Die Neuorientierung zugunsten reiferer Beziehungsformen birgt vielleicht wirklich die interessante Chance in sich, Lebens-Frust in Lebens-Lust zu verwandeln.

Ich weiß, daß das leichter gesagt als getan ist. Ich weiß, daß gute Ratschläge älterer für jüngere Menschen gerade im höchstpersönlichen Bereich von Liebe und Sexualität allzu leicht und oftmals mit gutem Grund als hohle Predigten empfunden werden. Das ist mit diesem auf Situationsanalysen und Bewußtmachen zielenden Buch nicht beabsichtigt. Aber ich weiß auch, wie viele Menschen – junge Menschen vor allem – den Traum von reifen Beziehungen und geglückten Partnerschaften weiterträumen, der nichts von seiner Anziehungskraft verloren hat. Daß seine Verwirklichung in zeitnahen Ehe- und Familienformen in Zukunft besser gelingen kann, verlangt konstruktive Beiträge auch der Politik. Wir werden diese nicht schuldig bleiben dürfen. Erst dann steht es uns zu, von dieser Generation auch wieder einen vollen Einsatz in der Politik zu verlangen.

---

[7] Cameron-Bandler u. a.: Muster-Lösungen, Paderborn 1992, S. 193

„LIFE AFTER GOD" – RELIGION OHNE KIRCHE?

Der kleine Prinz durchquerte die Wüste und begegnete nur einer Blume mit drei Blütenblättern, einer ganz armseligen Blume.

„Guten Tag", sagte der kleine Prinz.

„Guten Tag", sagte die Blume.

„Wo sind die Menschen?" fragte höflich der kleine Prinz.

Die Blume hatte eines Tages eine Karawane vorüberziehen sehen.

„Die Menschen? Es gibt, glaube ich, sechs oder sieben. Ich habe sie vor Jahren gesehen. Aber man weiß nie, wo sie zu finden sind. Der Wind verweht sie. Es fehlen ihnen die Wurzeln, das ist sehr übel für sie.

A. de Saint-Exupéry

Jetzt wird's kritisch. Wir betreten sakralen Boden. Nicht einmal wir Älteren wollten uns ja ganz genau ins Herz schauen lassen, wenn es um Glauben und Hoffen ging. Mit jungen Menschen darüber zu reden, fällt vielen von uns schwer. Ich gebe zu: mir auch. Manchmal jedenfalls. Einen Vortrag über Religion zu halten, ist kein großes Problem. Aber ein ernstes, persönliches Gespräch mit den eigenen Kindern? Wir haben die natürliche Unbefangenheit des Gretchens aus dem „Faust" verloren: „Nun sag, wie hast du's mit der Religion?"

Wie bekannt, heißt re-ligio im Lateinischen „Rückbindung", was ganz einfach ausdrücken soll, daß den Religionen die Aufgabe zukommt, die Menschen an ihren göttlichen Ursprung und an ihre Ganzheit im transzendenten Sinn zu erinnern. „Glaube" bedeutet dann Vertrauen in die Sinnhaftigkeit menschlicher Existenz sowie der gesamten Schöpfung und damit unbeirrbare Lebensbejahung. Glaube an das Göttliche bewahrt vor dem Gefühl der dauernden Sinnlosigkeit und totalen Entfremdung. Der Schweizer Psychoanlytiker C. G. Jung sieht Religion als die Begegnung mit dem Geheimnisvollen, dem „Numinosum": „Es ist wichtig, daß wir ein Geheimnis haben und die Ahnung von etwas nicht Wißbarem. Es erfüllt das Leben mit etwas Unpersönlichem, einem Numinosum. Wer das nicht erfahren hat, hat Wichtiges verpaßt."[1]

Der Glaube an das Nicht-Greifbare und die Hoffnung, daß „der Sinn überwiegen werde" sind somit wichtige Grundpfeiler menschlicher Existenz in einem Leben, das „Sinn und Unsinn" zugleich ist.

„Glaube" und „Hoffnung" sind mittlerweile Begriffe, die so viel zu beinhalten scheinen, daß wir uns manchmal des Verdachtes kaum erwehren können, sie seien letztlich bei näherem Hinschauen hohl und nichtssagend. Jungen Menschen ist zudem die Ambivalenz solch „hehrer" Worte wohl bewußt. Daraus erklärt sich ihr Zögern, ihre eigene Lebenswirklichkeit mit Hilfe derartiger Termini zur Sprache zu bringen. Zu fragen bleibt aber, welche Rolle jene Phänomene, die diese Worte meinen, im Leben der Jugend spielen. Welche Bedeutung kommt ihnen für die Existenz des einzelnen zu, welche Auswirkungen hat das Glauben und Hoffen der Menschen auf den Zustand und die Qualität der Gesellschaft, und wie wirkt die Gesellschaft ihrerseits in das Glauben und Hoffen des einzelnen hinein? Besonders spannend aber erscheint eine Untersuchung der spezifisch „jungen" Inhalte und Formen von Glauben und Hoffen. Haben die düsteren Stimmen recht, die der jungen Generation Glaubensverlust und Orientierungslosigkeit attestieren? Oder trauern hier die Älteren lediglich den von ihnen selbst nur halbherzig vertretenen und womöglich letztlich verratenen Idealen nach?

Seinem Wesen nach scheint Glauben mit Zweifeln eng verknüpft, jede Hoffnung ist mit der Angst vor Enttäuschung verbunden. Der Mensch pendelt zwischen kindlichem Vertrauen und aufgeklärter Skepsis und kommt nicht zur Ruhe. Stimmt die Vermutung, daß sich der Pendelschlag gerade für die junge Generation in Richtung Mißtrauen und Resignation bewegt? Trifft die „Legende vom modernen Menschen", die ein unbekannter Verfasser erzählt, auch auf die heutige Generation zu? Ein Mensch, so heißt es, irrt durch die Wüste. Hunger und Durst beginnen ihn zu quälen. Als er am Ende seiner Kräfte ist, sieht er in einiger Entfernung eine blühende Oase. „Aha, eine Fata Morgana!"

[1] Erinnerungen, Träume, Gedanken von C. G. Jung, hrsg. von A. Jaffé. Olten 1971, S. 358

diagnostiziert sein aufgeklärter Verstand. Selbst als er so nahe herangekommen ist, daß er bereits das Rauschen der Quelle hört, kann er seiner Wahrnehmung nicht trauen. Die beiden Beduinen, die ihn tags darauf tot finden, haben nur eine Erklärung für sein tragisches Ende: „Er war eben ein moderner Mensch."

Glaube und Hoffnung: Lebensnotwendige Kräfte oder blanke Illusion? Glauben wollen wir im folgenden nicht als schlichtes Für-wahr-Halten unterschiedlicher Inhalte sehen. Dies ist eine verkürzte, im täglichen Sprachgebrauch zwar recht verbreitete, allerdings zu überhaupt nichts verpflichtende und nichts bewirkende Interpretation. Ein von Theologen häufig verwendetes Synonym für Glaube ist Vertrauen – Vertrauen in die Sinnhaftigkeit der menschlichen Existenz und der gesamten Schöpfung. Damit wird auch die Verbindung von Glauben und Hoffen evident: Meint der Glaube das vertrauensvolle Annehmen des Sinn-Grundes, so bedeutet Hoffnung das Ausschauhalten nach dem Sinn-Ziel, auf das jede Entwicklung hinstrebt. In der christlichen Terminologie heißt das dann das „Alpha" und das „Omega". Marie-Joseph Pierre Teilhard de Chardin hat unter diesem Aspekt in seiner kühnen Sicht der Evolution eine bis heute nicht ausgelotete Dimension christlichen Glaubens und Hoffens eröffnet.

Wie steht es also mit dem Sinn-Grund, auf dem eine junge Generation ihr Leben bauen kann, und mit dem Sinn-Ziel, nach dem sie es ausrichten möchte? Inwieweit wird die Sinndimension individueller und sozialer Existenz überhaupt thematisiert? Wer einen Grund zu leben findet, wer mit diesem Leben ein Ziel zu erreichen hofft – würden wir den nicht wirklich glücklich nennen?

Das Angebot an „Lebensgründen" und „Lebenszielen" ist in der heutigen Zeit reichhaltig. Auch die Anbieter sind zahlreich geworden. Die Zeiten, in denen Religionen und Ideologien gewissermaßen ein Monopol auf Glaubensinhalte hatten, sind vorbei. In jedem Fünfzehn-Sekunden-Werbespot für Zahncreme steckt scheinbar der Schlüssel zur Seligkeit. Erfolg, Wohlstand, sexuelle Erfüllung, Status, Sieger-Sein im Wettbewerb – die Nachfrage nach diesen Lebenszielen steigt. Die traditionellen „Lieferanten" aber – Kirche und in gewisser Weise Politik – bleiben auf ihren Angeboten sitzen. Allerdings sind die Qualität und Haltbarkeit der momentanen Bestseller auf dem Markt der Lebenssinngeber zur Zeit noch im Teststadium. Auch vor Nebenwirkungen wird bereits unüberhörbar gewarnt. Die junge Generation selbst kann sich, bei aller Faszination, die Wohlstands-, Leistungs- und Erfolgsparolen ausüben, einer zunehmenden Skepsis nicht erwehren. So groß und vielfältig das Angebot an Lebensinhalten auch sein mag, sosehr die Lebenziele auch glitzern und glänzen: „Manchmal frag ich mich, ob das alles sein kann", sagt ein junger WU-Student, „ich fürchte, mir wird das immer zu wenig sein. Und das liegt nicht an der Quantität, sondern an der Qualität."

Ist die junge Generation also eine Generation des Mangels mitten im Überfluß? Eines steht fest: Sie ist bei der Suche nach den Inhalten ihres Glaubens und Hoffens so sehr auf sich allein gestellt wie kaum eine Generation zuvor. „Mit wem sprechen Sie über das Woher, Wozu und Wohin Ihres Lebens?" lautete eine Frage an Schüler und Schülerinnen eines Maturajahrganges an einer Wiener Handelsakademie. Nur 2% der Befragten gaben in der Antwort ihre Eltern oder andere Erwachsene an. 53% sprechen darüber mit ihren besten Freundinnen und Freunden, 92% kreuzten den schulischen Religionsunterricht an, und einer schrieb dazu: „Das frag ich mich nur selber – aber ich kann mir keine Antwort geben, deshalb frag ich mich immer seltener." Die Sprachlosigkeit der „Alten" – ob sie nun auf Verunsicherung, Resignation oder der Scheu vor Manipulation beruht – zwingt die Jungen, sich ihre Antworten selbst zu suchen, und das scheint kein leichtes Unterfangen zu sein. Dabei hat doch das altehrwürdige Hoffnungsmonopol Religion eine junge, aber bereits weit verbreitete Konkurrenz bekommen: die Esoterik. Selten gibt es zwei Bereiche, die so sehr das Gleiche zu wollen scheinen und dennoch so wenig miteinander zu tun haben wollen wie Religion und Esoterik. Wege zur „Seligkeit" wollen sie uns zeigen. In der (christlichen) Religion nennt man das „Heiligkeit", „Himmel" oder „Erlösung", in der Esoterik „Emanzipation", „Befreiung", „Erfüllung" oder „das wahre Ich". Dennoch scheinen Religion und Esoterik feindliche Schwestern zu sein, die einander voll Mißtrauen, mit scheelen Augen betrachten.

Religion hat sich in ihren vielen Erscheinungsformen im Laufe der Menschheitsgeschichte immer in gemeinschaftlichen Strukturen, in Riten, sprachlichen und bildlichen Formeln manifestiert. So hat sie zugleich einen ganz individuellen wie einen unübersehbar sozialen Aspekt. In der Theologie unterscheidet man daher gerne zwischen Religiosität und Religion. „Religiös ist der Mensch, der leidenschaftlich nach dem Sinn des Lebens fragt"[2], sagt der evangelische Theologe Paul Tillich – also nicht etwa der, der zufrieden und glücklich alle Antworten auf die Sinnfrage kennt (oder zu kennen glaubt!). Religion wäre demzufolge die gemeinsame unermüdliche, leidenschaftliche Suche nach dem Sinn-Grund (dem Glauben) und dem Sinn-Ziel (der Hoffnung) für das Leben des einzelnen und der Gesellschaft. Es ist evident, daß unsere Gesellschaft unter diesem Aspekt in keinster Weise eine „religiöse" ist. Ja, es stellt sich sogar die Frage, ob die christlichen Kirchen in diesem Sinne „religiös" sind.

Esoterik ist schwer zu definieren, denn dies ist ein weites Feld. Von der richtigen Atemtechnik bis zur Zen-Meditation, vom Heilfasten bis zum Wünschelrutengehen, vom Autogenen Training bis zum Schamanismus reicht das Angebot. Das griechische „esoteriòs" bedeutet „innerlich", nur für Eingeweihte einsichtig und zugänglich. Demnach fällt in den Bereich der Esoterik all das, wofür dem „normalen" Menschen erst die Augen geöffnet werden müssen, das, was unsere Gesellschaft und unsere Kultur nicht sieht oder übersieht, vielleicht einfach vergessen hat. Daher erklärt sich wohl auch der starke Einfluß fernöstlicher Religionen auf die westliche Esoterik.

Der folgende Test wurde an einer Schule durchgeführt:

Ordnen Sie diese Wörter den Begriffen Religion beziehungsweise Esoterik zu:

männlich / individuell / Verpflichtung / jung / einfach / verbieten / sozial / alt / frei / Frage / kompliziert / Antwort / statisch / weiblich / autoritär / langweilig / erlauben / emotional / spannend / Angebot / rational / dynamisch

Man muß kein Hellseher sein, um zu vermuten, daß die Gruppe neunzehnjähriger Schüler und Schülerinnen mit Religion patriarchalische Strukturen, Restriktion, Starrheit und Unattraktivität, aber auch Gemeinschaft und Verantwortung assoziierten, mit Esoterik hingegen Veränderung, Individualität, Weiblichkeit und Neugierde. Zu überdenken wäre also das Verhältnis von Esoterik und Religion. Statt scheeler Blicke und unreflektierter Vorurteile würde wohl gegensei-

---

[2] zit. bei: Moser, F: Im Garten des Lebens, Wien 1988, S. 82

tiges Kennenlernen nicht schaden. Dann kann man es mit dem Apostel Paulus halten, der seiner Gemeinde geraten hat: „Prüft alles und behaltet das Gute!“

Im folgenden geht es um den Versuch, Glaubens- und Hoffnungstrends sichtbar zu machen. Dies kann nur durch einen Generationenvergleich geschehen. Das verwendete statistische Material ist Paul M. Zulehners Untersuchungen „Religion im Leben der Österreicher“ und „Wie Europa lebt und glaubt“ (Patmos, 1993) entnommen. Die nackten Zahlen sollen allerdings durch die Erfahrungen aus zahlreichen persönlichen Gesprächen und eine Analyse von Phänomenen der Jugendkultur belebt und reflektiert werden.

Die Sinnkonzepte der Menschen wurden in den oben genannten Studien mit einer Reihe von Fragen ausgeleuchtet. Die verschiedenen Aussagen stehen, wie statistische Analysen ergaben, untereinander in einer meßbaren Beziehung. Auf deren Grundlage wurden vier Sinntypen abgegrenzt.

- *Die stoische Sinndimension:* Der Sinn des Lebens ist, daß man versucht, dabei das Beste herauszuholen. Wenn man sein Leben gelebt hat, ist der Tod der natürliche Ruhepunkt.
- *Die suchende Sinndimension:* Der Tod ist unausweichlich, es ist sinnlos, sich darüber Gedanken zu machen.
- *Die religiöse Sinndimension:* Das Leben hat nur einen Sinn, weil es Gott gibt. Der Tod hat nur eine Bedeutung, wenn man an Gott glaubt. Meiner Ansicht nach haben Kummer und Leid nur einen Sinn, wenn man an Gott glaubt.
- *Die Sinnlosigkeit:* Das Leben hat keinen Sinn. Daß das Leben sinnlos sei, meinen nur wenige in Europa. Überdurchschnittlich hoch ist deren Anteil allerdings in Frankreich und Schweden. In Österreich liegt der Prozentsatz mit 3,2% unter dem europäischen Durchschnitt (4,2%).

Prägend für die Sinnkonzepte der österreichischen Jugend ist die stoische Dimension. 67% der Jugendlichen identifizieren sich mit dieser Sicht des Lebens, 26% finden sich in der suchenden Dimension wieder, 12% in der religiösen. Für die Erwachsenen ist das stoische

Sinnkonzept sogar noch bedeutender (74%). Deutliche Unterschiede zeigen sich beim religiösen Anteil: Dieser ist bei den Erwachsenen fast doppelt so hoch wie bei den Jugendlichen. Also eine Rückkehr zur Stoa? Unerschütterlichkeit und Gelassenheit angesichts wovon? „Das Beste kann ich dann herausholen, wenn viel Gutes da ist", meint ein junger Student. „Was passiert, wenn ich keinen Job finde, wenn meine Partnerschaft scheitert, wenn ich krank werde, kein Geld habe und die Umwelt auch noch völlig ruiniert ist? Wie kann ich da ‚das Beste herausholen'? Ich fürchte, dann ist es aus mit der Gelassenheit." Ist das stoische Sinnkonzept also ein Luxus, den sich nur die Wohlstandsgesellschaft leisten kann? „Ich nehm's, wie's kommt, weil ich sowieso nichts ändern kann", spricht eine Schülerin vielen Kollegen und Kolleginnen aus dem Herzen. Also Unerschütterlichkeit aus Angst vor Verletzung, Gelassenheit als Folge der Resignation? Darauf könnte auch die hohe Bedeutung der stoischen Dimension bei Erwachsenen hinweisen. Sie haben noch häufiger als die Jungen die Erfahrung machen müssen, „daß man nichts ändern kann". Unter diesem Aspekt liegt die Vermutung nahe, daß die suchende Sinndimension eine innere Verwandtschaft zum stoischen Konzept aufweist.

Oder aber resultiert die stoische Ruhe aus einem Urvertrauen? „Ich glaube schon, daß alles einen Sinn hat, auch wenn ich keine Ahnung habe, welchen", bringt ein junger Vater dieses Urvertrauen auf den Punkt. „Bei den schönen Dingen ist das nicht schwer, aber bei leidvollen oder schmerzhaften Erfahrungen fragt man sich schon nach dem Warum, und da findet man eigentlich keine einleuchtende Antwort. Da bleibt einem nur die Hoffnung, daß es diesen Sinn gibt, auch wenn man ihn im Moment nicht erkennen kann." So betrachtet, scheinen das stoische und das religiöse Sinnkonzept ineinander zu verschwimmen. Auch Sokrates konnte seinen Schierlingsbecher ja nur deshalb so gelassen trinken, weil er überzeugt war, in der Unterwelt wesentlich interessanteren Leuten zu begegnen, als es ihm auf Erden vergönnt war, und sich sein Leben letztlich gelohnt hätte.

Es ist hinlänglich bekannt, daß Vertrauen und Sympathie gegenüber Institutionen im Schwinden begriffen sind. Die institutionalisierte Liebe (Ehe), die institutionalisierte Bildung (Schule) und die institutionalisierten Ideologien (Parteien), sie alle haben zu kämpfen. Man braucht sie (noch?), aber man liebt sie nicht. Warum also sollte es der institutionalisierten Religion (Kirche) anders gehen? Durch Reformen versuchen diese Institutionen, sich zu behaupten, wieder attraktiv zu werden, Sympathien zu gewinnen. Daß sie sich dabei schwer tun, ist in keinem Fall zu übersehen. Was die Kirche betrifft, vor allem die katholische, scheint ein Vertrauen in ihre Reformfähigkeit – besonders bei den sogenannten Fernstehenden – kaum vorhanden zu sein. „Ecclesia semper reformanda“ lautet das schöne Wort von der immer reformbedürftigen Kirche. Aber in Wirklichkeit bleibt alles beim alten. Junge Menschen reagieren oft schon allein auf das Wort „Kirche“ mit einem unwillkürlichen Schaudern.

„Was assoziieren Sie mit dem Begriff Kirche?“ fragte eine Religionsprofessorin ihre Schüler. So sahen die bunt gemischten Antworten aus:

kalt / finster / Krenn / spenden müssen / leben hinter dem Mond / Wasser predigen und Wein trinken / Männergesellschaft / Hokuspokus / du sollst – du darfst nicht / zahlen ja – mitreden nein / Jesus würde erschrecken / Geld und Gold / mischt sich dauernd ein / fad / Caritas / ruhig sein müssen / Hexenverbrennung und Kreuzzüge / scheinheilig / ist was für alte Leute / Taufe, Firmung, Hochzeit, Begräbnis / Bischof Kräutler / Zeit für das nächste Konzil / seid fruchtbar und vermehret euch! / nicht ernst zu nehmen / unser Pfarrer (cool).

Dieses nicht gerade schmeichelhafte Kirchenbild wirkt sich natürlich auch auf die religiöse Praxis junger Menschen aus. Den Gottesdienst besuchen 18% der jungen Österreicher und Österreicherinnen wöchentlich und 15% einmal im Monat. 23% gehen zu Ostern und Weihnachten oder an anderen Feiertagen in die Kirche, 10% einmal im Jahr und 34% seltener oder überhaupt nie. Mit dem Alter nimmt der regelmäßige Gottesdienstbesuch stark ab:

Gottesdienstbesuch / Alter	**16–18**	**19–21**	**22–24**
wöchentlich	24	17	12
monatlich	29	13	14

Insgesamt ist ein starker Rückgang des Gottesdienstbesuches in den letzten zehn Jahren zu verzeichnen. 1980 nahmen 30% der Jugendlichen wöchentlich, 20% monatlich und 20% an hohen Feiertagen am Gottesdienst teil. Trotz dieser geringen Gottesdienstbesucherzahlen halten etwa drei Viertel der jungen Österreicher und Österreicherinnen religiöse Feiern für wichtig. Dies trifft sowohl auf die Taufe (73%) und die Trauung (72%) wie auch auf die Beerdigung (77%) zu. Kompetenz wird der Kirche vor allem in bezug auf „geistige Bedürfnisse und Fragen nach dem Sinn des Lebens" zugesprochen. Äußerst kritisch gesehen wird hingegen die Lösungskompetenz der Kirche bei „moralischen Problemen" (ja: 22% – nein: 58%), „sozialen Problemen" (18% zu 60%) und „Problemen im Familienleben" (18% zu 64%). Sehr unterschiedlich bewertet werden die Aussagen der Kirche zu gesellschaftspolitischen, moralischen und politischen Themen:

Diese Äußerungen der Kirche sind angebracht	ja	nein	unentschieden
Gesellschaftspolitische Aussagen			
Probleme der Dritten Welt	76	17	7
Rassendiskriminierung	63	27	10
Euthanasie	52	31	17
Moralische Aussagen			
Abtreibung	37	49	14
Homosexualität	18	66	16
außereheliche Beziehungen	18	71	11
Politische Aussagen			
Umweltfragen	41	48	11
Abrüstung	37	50	12
Arbeitslosigkeit	25	61	14
Regierungspolitik	11	78	11

Interessant ist, daß die Antworten der römisch-katholischen Kirche zur Lösung verschiedener Probleme in Österreich von den Erwachsenen zwar nicht grundsätzlich anders, wohl aber deutlich positiver gesehen werden als von den Jugendlichen:

Die Kirche kann Antwort geben auf	Erwachsene	Jugendliche
...moralische Probleme des einzelnen	38	22
...Probleme im Familienleben	26	18
...geistige Bedürfnisse, Sinnfrage	56	49
...soziale Probleme unseres Landes	30	18

Während also die Kirche mit einem steten Attraktivitätsschwund zu kämpfen hat, erfreuen sich neuere religiöse oder pseudoreligiöse Splittergruppen eines steigenden Zuspruchs. Allerdings sind sie, bei allem nicht zu unterschätzenden Einfluß auf Leben und Persönlichkeit des einzelnen, in Österreich weit davon entfernt, zu einem gesellschaftspolitisch relevanten Faktor zu werden. Mit ihrem Vertrauen in die Kirche liegen die Österreicher und Österreicherinnen genau im europäischen Durchschnitt: auf einer vierteiligen Skala siedeln sie sich bei 2, 5 an.

Wie bereits festgestellt, ist seit den achtziger Jahren ein zunehmender Rückzug in die „mikrosozialen" Lebensbereiche zu bemerken – der Trend zu einem abgeschlossenen, privaten Rückzugsraum, zu dem die oft als unwirtlich, belastend oder gar bedrohlich erlebte gesellschaftliche Wirklichkeit keinen Zugang hat.

Wichtigkeit von Lebensbereichen „sehr wichtig"	**Erwachsene**	**Jugendliche**
Familie	84%	67%
Freizeit	40%	59%
Freunde	38%	53%
Arbeit	67%	42%
Religion	20%	8%
Politik	11%	4%

Die Spitzenreiter in dieser Wichtigkeitsskala – Familie, Freizeit und Freunde – besitzen einerseits einen hohen Wert an Intimität und Exklusivität, andererseits einen geringen Grad an formellen Reglementierungen (zumal unter dem Begriff „Familie" eine Fülle von Formen des Zusammenlebens und keineswegs ausschließlich die staatlich oder kirchlich legitimierte Zweierbeziehung mit einem oder mehreren Kindern verstanden wird).

Das Glauben und das Hoffen Jugendlicher konzentrieren sich also sozusagen auf die eigenen vier Wände. Kritischer könnte man formulieren, daß sich Glaube und Hoffnung junger Menschen verengen, verkürzen und reduzieren.

Wir haben ja bereits festgehalten, daß Glauben und Hoffen ihrem Wesen nach in die Transzendenz streben. „Ich mache die Fenster auf und zeige hinaus“[3], sagt Martin Buber. Wer aber die Fenster und Türen verschließt und sich auf die kleine, heile Welt reduziert, muß die Frage nach dem Wozu und Wohin verdrängen, weil es offenkundig ist, daß die Antwort darauf niemals in dieser kleinen, heilen Welt liegen kann. Der menschlichen Existenz drohen Unglaubwürdigkeit und Hoffnungslosigkeit. „Mein Ziel ist es, eine eigene Familie zu haben und mit einer halbwegs angenehmen Arbeit so viel Geld zu verdienen, daß wir uns ein schönes Leben machen können“, beschreibt ein 18jähriger Schüler seine Zukunftsvisionen. „Und ich glaube, daß ich gute Chancen habe, meine Vorstellungen zu verwirklichen.“ Und er beneidet den 29jährigen Bankangestellten, der ihm gegenübersitzt: „Du hast es geschafft. Du hast eine tolle Frau, zwei liebe Kinder, eine Eigentumswohnung und einen Superjob.“ Und wie im Scherz antwortet der junge Mann: „Ja, von jetzt an kann's eigentlich nur noch bergab gehen.“

Auffallend ist, daß die Zufriedenheit mit der „kleinen Lebenswelt“ bei Jugendlichen deutlich geringer ist als bei den Erwachsenen:

Zufriedenheit mit der „kleinen Lebenswelt“	**Erwachsene**	**Jugendliche**
völlig zufrieden	80%	61%
zufrieden	13%	21%
unzufrieden	5%	12%
sehr unzufrieden	3%	7%

Grundsätzlich läßt sich also konstatieren, daß sich jene Trends, die in den späten siebziger Jahren entstanden sind, ungebrochen fortsetzen. Selten zuvor ist es einer Elterngeneration gelungen, ihre Kinder so gründlich in ihr Wertesystem hineinzuerziehen. „Wir machen's so wie die Erwachsenen, nur noch mehr“, stellt ein Jugendlicher nüchtern fest. Man muß also hinzufügen, daß die „alten“ Trends nicht nur weiterwirken, sondern sich sozusagen nach dem Schneeballprinzip verstärken. Zu fragen bleibt, ob eine solche Entwicklung wünschenswert oder aber beunruhigend ist. Ist es denn nicht gerade die ureigenste Berufung der

[3] ebd. S. 154

Jugend, durch Widerspruch und das Ausprobieren von Alternativen stets ein Korrektiv etablierter Gesellschaftsstrukturen zu sein?

Hier zeigt sich eine höchst erstaunliche Parallele zu dem, was gemäß der biblischen Traditionen das Wesen des Glaubens ist: Auch der Glaube an den Gott der Bibel versteht sich immer als Korrektiv herrschender Machtstrukturen und Wertordnungen. Aus dem Glauben leben, heißt sowohl im Alten wie im Neuen Testament, Alternativen zu gängigen Lebensentwürfen in die Tat umzusetzen. So und nicht anders ist ja auch der zentrale Begriff vom „Reich Gottes" in der Verkündigung Jesu zu verstehen: Nicht Vertröstung, sondern Veränderung will die „gute Nachricht" bewirken, daß diese Herrschaft Gottes schon mitten unter uns begonnen hat. Man ist versucht, die Religion sozusagen als den möglichen Jungbrunnen der Gesellschaft zu sehen. Religiöse Erziehung darf also im christlichen Sinn niemals die Anpassung an gesellschaftliche Strukturen zum Ziel haben. Eltern, die ihre Kinder in den schulischen Religionsunterricht schicken, damit sie „brav" werden, unterliegen einem grundsätzlichen Irrtum. Erwin Ringel sah nicht zu unrecht die Gefahr des Religionsverlustes durch religiöse Erziehung gegeben. Wenn die revolutionäre Kraft der Religion pervertiert wird, um Machtstrukturen zu festigen, verkauft sie sich selbst.

Fassen wir die in unserem Zusammenhang relevanten Trends zusammen:

- Gelassenheit und Resignation angesichts einer komplexen und übermächtigen vorgegebenen Wirklichkeit. Leben nach dem Motto: „Machen wir das Beste daraus!"

- Abkehr von Institutionen, die als überflüssig und wenig vertrauenswürdig erlebt werden

- Rückzug in die Privatheit und Entsolidarisierung

Wie sind diese Trends zu bewerten? Bergen sie Gefahren oder Chancen für zukünftige Entwicklungen in sich? Und vor allen: Wem nützen, wem schaden sie? Wie bewerten Jugendliche selbst ihre eigenen Haltungen und Verhaltensweisen im Bereich dessen, was wir im weiten und eigentlichen Sinn unter Religion verstehen?

Zunächst muß festgestellt werden, daß es wenige gesellschaftliche „Räume" gibt, in denen diese Frage thematisiert werden kann. Unsere Beziehung zu Gott erscheint uns noch intimer als unsere intimsten zwischenmenschlichen Beziehungen. Während Jugendliche heutzutage erfreulicherweise offen und ungeniert über ihre Sexualität sprechen können, überfällt sie eine sonderbare Scham, wenn sie ihre Religiosität zur Sprache bringen wollen. In den USA kann es leicht passieren, daß einem im Verlauf des Party-Smalltalks die Frage gestellt wird: „And what do you believe in?" Als eingefleischter Mitteleuropäer rettet man sich dann in die lakonische Aussage: „I am a catholic" und ist geradezu peinlich berührt von der Bereitwilligkeit, mit der der Gesprächspartner seine gesamte religiöse Entwicklung offenlegt. In Österreich sind Glaube und Religion höchstens ein Gesprächsthema, wenn sich die Gemüter an provokanten Persönlichkeiten erhitzen oder wenn Skandale und Skandälchen für Unterhaltung sorgen. Die existentielle Dimension der Religion aber wird nur in speziell deklarierten Bereichen thematisiert: im Gottesdienst, in der kirchlichen Gemeindearbeit (einem Minderheitenprogramm) und im schulischen Religionsunterricht. Dessen Bedeutung darf angesichts der gesellschaftspolitischen Relevanz des Themas nicht unterschätzt werden.

Wenn Religiosität ihrem Wesen nach die leidenschaftliche Suche nach dem Sinn ist, dann müssen wir nun zunächst fragen, wie leidenschaftlich die Jugend heute nach dem Woher, Wozu und Wohin des Lebens fragt. Dabei fällt auf, daß diese Frage auf den ersten Blick gar nicht gestellt wird. „Wozu soll ich mir Fragen stellen, auf die es womöglich gar keine Antworten gibt?" Diese Aussage scheint die These von der Dominanz der stoischen Sinndimension zu untermauern. Erst bei näherem Hinsehen wird deutlich, wie es zu diesem Abblocken kommt. Der Mensch hat keineswegs aufgehört, ein ewig Fragender zu sein, aber die Angst vor der Radikalität existentieller Fragen scheint zugenommen zu haben. Die Sinnangebote der pluralistischen Gesellschaft sind entweder zu nebulos, zu dogmatisch oder zu unverbindlich, jedenfalls aber nicht vertrauenswürdig genug, als daß man von ihnen Hilfe bei der persönlichen Sinnsuche erwarten könnte. Die Antwort auf eine solch lebenswichtige Frage aber ganz allein zu suchen, ist ein Risiko, vor dem vielen angst und bange wird. Hier wird sozusagen die Notbremse gezogen, die das mögliche Abstürzen in den Abgrund der Sinnlosigkeit verhindern soll.

Erst in den oben angeführten „geschützten Räumen", in einer Atmosphäre des Vertrauens und der Gemeinsamkeit werden jene Fragen laut, die sonst wohl nur in der Einsamkeit besonders dunkler oder besonders glücklicher Stunden ins Bewußtsein rücken.

„Fragen an das Leben", formuliert von 19jährigen Schülern und Schülerinnen

Warum bin ich der, der ich bin?
Warum lebe ich, wenn ich doch sterben muß?
Warum ist das Glück immer so schnell zu Ende?
Warum müssen gerade die guten Menschen so viel leiden?
Wer ist an dem Bösen, das geschieht, schuld?
Wozu soll ich mich überhaupt anstrengen, „gut" zu sein?
Wer weiß schon, was wirklich richtig ist?
Gibt es irgendwo, irgendwann einmal Gerechtigkeit?
Wer hat beim Urknall „geknallt"?
Wie wird das alles enden?

Warum lernen die Menschen nichts aus der Vergangenheit?
Ist mit dem Tod wirklich alles vorbei?
Kann Liebe ewig dauern?
Gibt es jemanden, der mich wirklich versteht?
Wie kann man Schuld überhaupt wieder gutmachen?
Was wird aus mir werden?
Warum ist man letztlich so allein?

Es ist eine ganz außergewöhnliche Erfahrung zu erleben, daß sich nicht nur jeder einzelne solche Fragen stellt, sondern, daß wir sie uns auch gemeinsam stellen können. Es wird einsichtig, daß die Suche nach Antworten nicht nur für das Individuum, sondern in gleichem Maße auch für die Gesellschaft lebens-entscheidend ist. Das Leben wird im wahrsten Sinne des Wortes „fragwürdig", das heißt: würdig, hinterfragt zu werden. Das Risiko des Fragens muß sich wohl lohnen, wenn sich das Leben lohnen soll. Der Erwachsenengeneration kommt in diesem Zusammenhang eine enorme Verantwortung zu. Es ist allerdings nicht ihre Aufgabe, vorgefertigte Antworten auf silbernem Tablett zu servieren. Das wäre anmaßend und verlogen zugleich. Denn wer könnte auf solche Fragen schon die garantiert „richtigen" Antworten parat haben! Es geht vielmehr darum, die Jugendlichen zum Fragen zu ermutigen und an ihrer Suche nach den Antworten teilzunehmen. Nur so kann auch die verjüngende Kraft der neuen Generation für die Gesellschaft wirksam werden.

Eine Gesellschaft, die die Fragen junger Menschen nicht zuläßt oder sie mit ihren Fragen allein läßt, mindert die Lebensqualität und löst einen folgenschweren Verdrängungsprozeß aus. Sie macht sich mitschuldig an Phänomenen wie Drogenmißbrauch, Sektenboom und Konsumismus – an einem Fluchtverhalten, das an Helmut Qualtingers „Wüden auf seiner Maschin" erinnert. Denn er weiß auch nicht, wo er hinfährt, aber dafür ist er schneller dort.

Das Schlagwort von der Religion als Privatsache hat eine lange und bewegte Geschichte – von der Aufklärung über den Liberalismus bis ins Programm der Sozialdemokratischen Partei. Kein vernünftiger Mensch wird diesem Wort eine gewisse Berechtigung absprechen, sollte damit der Rückzug religiöser Institutionen aus der Tages- und Parteipolitik gemeint sein. Wie sich allerdings Religion, verstanden als Glaubensüberzeugung einer Gemeinschaft, auf den privaten Bereich beschränken soll, kann wohl kaum plausibel gemacht werden. Eine Gemeinschaft von Menschen, die an einen bestimmten Sinn-Grund glaubt und auf ein bestimmtes Sinn-Ziel hofft, entwickelt entsprechende Lebensmodelle, setzt Prioritäten, verweigert sich unter Umständen auch den gesellschaftlichen Vorgaben. Das aber bedeutet, daß eine solche Gemeinschaft öffentlich wirksam, mit einem anderen Wort „politisch" ist. Sowohl die Geschichte als auch die Bibel selbst legen Zeugnis davon ab, daß das Glauben und das Handeln – auch das politische Handeln – der Menschen eine untrennbare Einheit bilden. Religion als Privatvergnügen zu betrachten, entspringt also einerseits dem verständlichen Wunsch, den fundamentalistischen Machtmißbrauch religiöser Institutionen zu brechen, erliegt aber andererseits dem folgenschweren Irrtum, eine areligiöse Öffentlichkeit wäre realisierbar oder gar wünschenswert.

Dazu in starkem Kontrast steht die Tatsache, daß Religion für die junge Generation etwas ganz Privates, Persönliches, ja geradezu Intimes ist. Das existentielle Glauben und Hoffen, das Fragen und Suchen nach dem letzten Sinn der eigenen Existenz und des Kosmos spielen sich „im stillen Kämmerlein" ab. Selbst in engen Freundschafts- oder Liebesbeziehungen wird das Religiöse kaum zur Sprache gebracht.

„Brief an mich selbst", verfaßt von einer 20jährigen Studentin

Mein liebes Ich, das ich manchmal gar nicht so sehr liebe, ich frage Dich, worauf ich mein Leben aufbauen soll. Ich frage Dich, woher ich den Mut nehmen soll, dem, was auf mich zukommt, zu begegnen. Was soll ich ernster nehmen: meine Hoffnungen oder meine Ängste? Alles dreht sich, und ich finde keine Worte – und ich finde keinen, der mich ohne Worte verstehen kann.

Erinnerst Du Dich, wie das war, als ich noch ein Kind war? An die Momente, als die Oma am Bett saß und darauf bestand, daß ich ein Abendgebet sagen sollte?

Ich denk' in letzter Zeit oft daran. Und ich weiß auch noch, was ich gebetet habe:Lieber Gott, mach mich fromm, daß ich in den Himmel komm'. Und dann sag ich diese Worte vor mich hin und merke, daß sie nicht ausreichen, um das zu sagen, was mich bewegt. Siehst Du, ich kann es nicht einmal mir selbst erklären – es ist wohl das Gescheiteste, einfach zu schweigen.

Ohne Worte kann Reflexion nicht stattfinden, ohne Worte gibt es keine Kommunikation. Wenn die religiöse Dimension des Menschseins verstummt, bleibt nur eine dumpfe, schmerzende Sehnsucht und das Gefühl des „Allein-gelassen-seins". Es gibt wohl kaum eine Diskussion über Religion und Kirche, in der nicht sehr schnell einige Namen von Menschen fallen, die die Kirche für den jeweiligen Diskutanten anscheinend „personifizieren". (Dasselbe Phänomen ist im übrigen auch in der politischen Auseinandersetzung zu beobachten.) Da empört sich der eine über diesen Bischof, der andere versucht mit einem anderen geistlichen Würdenträger zu kontern, und schließlich wird dann auch noch der Papst in die Diskussion geworfen. Ist die Religion wirklich (nur) so gut wie ihre Amtsträger sind?

Die Skepsis der jungen Generation gegenüber Institutionen wurde bereits angesprochen, ihre Empfänglichkeit für das persönliche Charisma und ihre Bereitschaft zur Verehrung faszinierender Personen ist offenkundig. Ehe wir diesen Umstand bewerten, wollen wir die Frage nach den Ursachen dafür stellen. „Den Begriff Institution kann ich nicht einmal korrekt definieren – bei einem konkreten Menschen weiß ich wenigstens, woran ich bin", meint ein junger Mann etwas salopp. Er drückt damit aus, was viele Jugendliche empfinden: Institutionen sind anonym, abstrakt, undurchsichtig. Da werden verborgene Machtspielchen gespielt, obskure Sachzwänge herrschen, und der Mensch bleibt auf der Strecke. Mit Institutionen kann man sich nicht identifizieren, so scheint es, und gerade Identifikationsmöglichkeiten sucht der junge Mensch. Schon in den siebziger Jahren kursierte das Schlagwort „Jesus ja – Kirche nein". Der Trend von der Institution zur Person ist ungebrochen.

In dieser Entwicklung liegen, wie unschwer erkennbar ist, Chance und Gefahr eng beieinander. Eine Reform der Institutionen ist wohl unvermeidbar, nicht Selbstzweck, sondern Mittel zum Zweck muß die Institution sein (oder wieder werden). Sie muß sich konkretisieren, erlebbar werden, sich „vermenschlichen". Es ist dieses „Rezept", nach dem Sekten aller Art so erfolgreich operieren. Dennoch bleibt das Faktum bestehen, daß Menschen stets Menschen brauchen, um Beziehung und Vertrauen zu entwickeln, um Sinn zu entdecken und Ziele anzustreben. In diesem Sinn ist die „Vermenschlichung der Institutionen" wohl eine ganz dringliche Forderung. Gemeint sind damit allerdings keineswegs nur eine geschickte PR-Strategie oder sonstige kosmetische Kunstkniffe, sondern ein ehrliches und beschwerliches Umdenken und Um-Leben aller Betroffenen.

Kehren wir nun zu der stoischen Ruhe zurück, mit der die Jugend, wie es scheint, ihr Schicksal über sich ergehen läßt und einzig das Bestreben gelten läßt, dabei das Beste für sich herauszuholen. Es braucht nicht viel psychologisches Geschick, um rasch dahinterzukommen, daß sich hier die Fabel vom Fuchs und den Trauben wieder einmal bewahrheitet. Was sich wie Gelassenheit gibt, ist in Wahrheit schmerzliche Resignation.

Bedenklich ist allerdings, daß diese Resignation nicht die Folge eines leidenschaftlichen, aber vergeblichen Kampfes ist, sondern sozusagen eine vorauseilende, prophylaktische Resignation. „Es hat sowieso keinen Sinn, sich zu engagieren", „Da kann man nichts machen", „Es bringt nichts, sich aufzuregen" – all das wird behauptet, ohne daß sich vorher jemand aufgeregt oder engagiert hätte! Daraus aber resultiert eine vage Hoffnung, es könnte sich doch „etwas ändern", wenn einer die Macht hätte, die Menschen zu bewegen, unheilvolle Strukturen zu zerschlagen und der Gerechtigkeit zum Sieg zu verhelfen. „Was wir brauchen, ist ein neuer Messias!", bringt es eine junge Studentin auf den Punkt.

Nun war die Sehnsucht nach einem Messias schon zu biblischen Zeiten eine zweideutige Angelegenheit. Die Messias-Erwartungen zur Zeit Jesu von Nazareth reichten von dem der bösen Welt entsagenden Asketen über den gesetzestreuen „Law and Order"-Kämpfer bis zum politischen Terroristen. Die Parallelen zu den Vorstellungen vom „Retter der Welt", wie junge Menschen sie an der Schwelle zum dritten Jahrtausend formulieren, sind erstaunlich:

- „Wenn eine(r) käme, um die Welt zu retten, dann müßte sie (er)...
- ...zunächst alle kriminellen und gewissenlosen Subjekte eliminieren
- ...die ungerechten Strukturen der Weltwirtschaft zerschlagen, am besten durch Konsumverweigerung auf breitester Basis
- ...uns aus der Abhängigkeit der Übermächtigen befreien (ich meine nicht die Politiker, sondern die „ominösen" Wirtschaftsbosse)
- ...demokratische Spielregeln weltweit durchsetzen, wenn nötig mit Gewalt
- ...dafür sorgen, daß kein Stein auf dem anderen bleibt
- ...die Schuldigen an Umweltzerstörung und Völkermord, die Kriegshetzer und Drogendealer auf die abschreckendste Art und Weise bestrafen
- ...neue Menschen machen und am besten eine neue Erde noch dazu."

Je komplexer die Wirklichkeit erlebt wird, desto radikaler fallen die „Lösungsvorschläge" aus. Je größer das Gefühl der eigenen Ohnmacht, desto heftiger der Wunsch nach einem allmächtigen „Messias". Die Problematik dieses Trends ist jungen Menschen aber sehr wohl bewußt. Die Sehnsucht nach Überwindung der Resignation und die Skepsis gegenüber einem starken Mann (oder einer starken Frau) verlangen nach Alternativen.

Unter dem Titel „Was ich hoffen würde, wenn ich mich zu hoffen traute" schrieben Reifeprüfungskandidaten und -kandidatinnen sich ihre kaum geträumten Träume von der Seele. Hier einige Auszüge:

Ich würde hoffen, daß die Welt „kleiner" wird, das heißt überschaubarer, begreifbarer. Ich möchte wissen, wer wofür die Verantwortung trägt. Small ist nicht nur beautiful, small ist einfach auch menschlicher. In riesigen, vernetzten Strukturen verliert sich der Mensch – oder er versteckt sich darin, um nicht zur Rechenschaft gezogen zu werden. Ich wünsche mir eine Welt, in der der einzelne wichtig, unersetzlich und verantwortlich ist.

Ich möchte hoffen können, daß der Mensch seine Überheblichkeit endlich überwindet. Er kommt sich besser vor als der andere, der Fremde, der Konkurrent, besser und wertvoller als das Tier, wichtiger als die Natur – letztlich kommt er sich heutzutage wahrscheinlich auch gescheiter vor als Gott. Das ist für mich die Wurzel aller Mißstände. Ich hoffe, daß wir bald verstehen, daß wir ein Teil des Ganzen sind und daß wir (wieder?) lernen, in Dankbarkeit und Harmonie zu leben – und leben zu lassen.

Ich möchte hoffen, daß wir jungen Leute nicht alles das verraten werden, was uns jetzt wichtig ist. Daß wir uns auch später noch Freundschaft und Spaß „leisten" können. Ich hoffe, daß ich nicht die Augen verschließen werde vor Ungerechtigkeit und Bosheit. Ich hoffe, daß ich auch mit vierzig noch hoffen kann.

Ich weiß, daß ich immer andere brauchen werde, um hoffen zu können. Ich meine, so zu hoffen, daß meine Hoffnungen auch etwas bewegen. Ich bin darauf angewiesen, daß Menschen meine Hoffnung teilen, sonst werde ich die Hoffnung bald aufgeben und mich arrangieren mit der Welt, wie sie nun einmal ist. Ich werde Karriere machen – auf Kosten anderer. Ich werde es mir gut gehen lassen – auf Kosten anderer. Ich werde nicht zu kurz kommen – auf Kosten anderer. Das alles wird, so hoffe ich, nie geschehen.

Der vielzitierte Kompetenzverlust der Kirche mag ein Hinweis auf erforderliche Neuorientierungen der kirchlichen Institutionen am Ende unseres Jahrtausends sein. Die Kirche wird wieder eine Chance haben, sinnstiftend zu sein, wenn sie sich bemüht, das Paradies nicht nur in den Himmel zu verlegen, sondern schon auf Erden beginnen zu lassen, ohne daß es hier vollendet werden könnte. Die Kirchen sind heute gefordert, sich wieder viel mehr um die Nöte der Menschen zu kümmern. Nicht zufällig ist Caritas, ist Diakonie mehr angesehen als andere kirchliche Einrichtungen.

Besonders die katholische Kirche – und das sage ich als überzeugter Katholik – wird erst wieder Relevanz erhalten, wenn sie sich der Sinnfragen dieser Welt und den Bedürfnissen der jüngeren Generation nach ehrlicher Sinnsuche und Selbstbestimmung annimmt. So ist auch die Kritik Eugen Drewermanns zu verstehen: „Das Christentum versäumt ein Wesentliches: Menschen dahin zu führen, wo sie in Freiheit und in Selbstbesitz ihrer eigenen Person zu leben beginnen können. Es ist so phantastisch, daß wir Selbstfindung und Gottfindung behandeln wie Gegensätze.“[4] Die Schwierigkeit der kirchlichen Institutionen, die ein neues Verhältnis zur Öffentlichkeit und eine zeitgemäße Nähe zur Wirklichkeit aufbauen wollen, liegt in der Gratwanderung zwischen dem Eingehen auf ganz handfeste Jetzt-Zeit-Bedürfnisse der Menschen einerseits und der Wahrung des Augenmerks auf Ziele mit Inhalten, die jenseits von Materie und Zeit liegen. Eine Kirche, die an den Wünschen und Bedürfnissen ihrer Anhänger vorbei zelebriert, wird in der Zukunft keine Chance mehr haben. Trotzdem kann eine kirchliche Institution, die ja keine Sekte sein möchte, nicht nur nach Marketing-Kriterien arbeiten. Eine Kirche, die allein zur Caritas mutiert, würde gleichfalls ihren Kern verlieren.

Nach den Aussagen der Gurus der Trendliteratur werden die kirchlichen Institutionen den so notwendigen Reformkurs nicht schaffen, was bedeuten würde, daß eine „freie Spiritualität“[5] deren Platz einnehmen müßte. Das Ende der Konfessionen, das für viele durchaus auch spirituell eingestellte Menschen wünschenswert erscheint, birgt aber dennoch eine Gefahr in sich, wenn dabei der Scharlatanerie Tür und Tor geöffnet wird. Nach Gerd Gerken haben aber auch New Age und Esoterik, die in ihrer Oberflächlichkeit demaskiert werden, keine Zukunftschance. Seine Perspektive liegt in einer neuen Kosmologie mit sehr schamanistischen Elementen. Spirituelle Menschen wird es immer geben. „Sie wissen, daß das Göttliche in uns nicht zu vertreiben ist.“[6]

---

[4] Drewermann, Eugen: Wort des Heils/Wort der Heilung, Bd.I. München 1993, S. 182f

[5] Vgl. dazu Gerken/Konitzer, a. a. O.

[6] ebd., S. 231

Das Mißtrauen in die Institutionen hat die Jugend sicher nicht vom existentiellen Fragen und Suchen weggeführt. Sie stellt ihre Frage nach Gott nur in einer anderen Form.

Ein Sprecher der jungen Generation, Douglas Coupland, weist die Etikettierung von der „gottlosen Jugend“ zurück, indem er seinen Helden ein Geheimnis sagen läßt:

„Ich werde es dir sagen, mit einer Offenheit des Herzens, die ich wohl niemals wiedererlangen werde; und so bete ich, daß du in einem stillen Raum bist, wenn du diese Worte hörst. Mein Geheimnis ist, daß ich Gott brauche – daß ich krank bin und allein nicht mehr weiter kann. Ich brauche Gott, damit er mir hilft, zu geben, denn ich scheine zum Geben nicht länger in der Lage zu sein; damit er mir hilft, gut zu sein, denn ich scheine zur Güte nicht länger imstande zu sein; damit er mir hilft, zu lieben, denn ich scheine über die Fähigkeit zu lieben hinaus zu sein.“[7]

[7] Coupland, Douglas: Life after God, S. 354

NEUE UND ALTE WEGWEISER ZUR GESUNDHEIT

Etwas, das wir uns versagten, schwächte uns.
Bis wir merkten, daß wir es selbst waren,
was wir uns vorenthielten.

Robert Frost

Die natürliche Heilkraft in jedem von uns
ist die größte Kraft,
um wieder gesund zu werden.

Hippokrates

Homöopathische Medizin, Akupunktur, Heilpraktiker – ich gestehe, daß ich lange Zeit ein Unbehagen hatte, wenn davon die Rede war. Mit tröpferlweiser Dauerbehandlung und Nadeln und „heilenden Händen" schienen mir Magie und Hokuspokus einherzugehen. Inzwischen bin ich nachdenklicher geworden. Immer noch glaube ich an die großen und unverzichtbaren Leistungen der Schulmedizin. Aber warum sollte ausgerechnet sie ohne Fehl' und Tadel, ohne Irrwege und Abwege sein, die uns in so vielen Bereichen unseres Alltagslebens zur Umkehr und Neubesinnung zwingen? Kann die Zukunft der Medizin wirklich nur in immer noch teureren Maschinen und immer komplizierter werdender Technik liegen?

Die hervorragenden Leistungen der Medizin in den letzten Jahrzehnten sind unumstritten und allgemein bekannt. Parallel zum technologisch-wissenschaftlichen Fortschritt im medizinischen Bereich wurde auch das Gesundheits- und Sozialsystem weiterentwickelt und die Öffentlichkeit mit vielen Informationen über diesen Bereich versorgt, sodaß sich viele von uns schon wie halbe Ärzte vorkommen. Wir müßten eigentlich eine Gesellschaft von Gesunden sein. Da dies aber nicht der Fall ist, liegt die Vermutung nahe, daß wir entweder manch irrige

Vorstellungen von Gesundheit und Krankheit haben oder unser europäisches Gesundheitssystem doch noch immer ein paar gehörige Schwächen hat.

„In vielen Situationen der Alltagsmedizin stellt sich die Frage, ob all das, was im Bereich der Patientenversorgung geschieht, tatsächlich Sinn hat und den Menschen nützt. Und ob es den gesetzgeberisch vorgegebenen Kriterien des Versorgungsauftrages der Krankenkassen entspricht – also medizinisch notwendig, sinnvoll, ausreichend und wirtschaftlich ist. Was wir heute teilweise betreiben, ist nachgerade eine akademisch induzierte Verhöhnung dieses gesetzlichen Auftrags."[1] So die Ärztin Heidi Schüller, die von der „Fortschrittsfalle" spricht und ihren Kollegen vorwirft, die Menschen durch die Verfeinerung der Diagnoseverfahren „kränker" statt gesünder zu machen, da immer mehr unbedeutende Abweichungen immer früher erkannt werden: „Wäre es dann nicht allzu folgerichtig, daß die Gesundheitsbranche gar nicht Heilung anpeilt, sondern die Konservierung von ‚Krankheit'?"[2] Dies mögen harte Aussagen sein, doch die Tatsache, daß in Zukunft immer weniger Zahler der Sozialversicherungsbeiträge eine immer kostspieliger werdende Medizin finanzieren werden müssen, macht nachdenklich. Und es ist richtig, daß in Zukunft chronische Erkrankungen mit Langzeitbehandlungen schon aufgrund verbesserter diagnostischer Möglichkeiten zunehmen werden. Orthopädische Schäden bei Kindern und Jugendlichen nehmen zu. Der Gesamtumsatz der Pharmaindustrie in Österreich beträgt 16,4 Milliarden Schilling jährlich und wächst in dem gleichen Zeitraum um rund sieben Prozent.

Die Krankenkassen sind in größten Schwierigkeiten, doch eine wirkliche Reform des Gesundheitswesens steht weiterhin aus. Zu unüberbrückbar scheinen die gegensätzlichen Interessen der verschiedenen Gruppierungen wie Kammern, Spitalserhalter, Ärzte und Kassen. Dazu kommt ein Gesundheitsministerium ohne Kompetenz und der traditionelle Konflikt zwischen Bund und Ländern.

Gesundheit ist mehr als die Abwesenheit von Krankheit. Nach der Definition der UN-Weltgesundheitsorganisation (WHO) bedeutet

---

[1] Schüller, Heidi: Die Alterslüge, Berlin 1995, S. 130
[2] ebd., S. 136

Gesundheit den Zustand körperlichen, geistigen, seelischen und sozialen Wohlbefindens. Sozialversicherungsrechtlich entsteht aus diesem Zustand die Fähigkeit zur Arbeits- und Erwerbstätigkeit. Trotz dieser Definition gibt es Gesundheit im absoluten Sinn nicht. Der Idealzustand des Wohlbefindens ist eher eine graduelle Angelegenheit, da der andere Pol auf dieser Skala, nämlich Krankheit oder Kränklichkeit, immer auch irgendwie spürbar ist.

Um Gesundheit beziehungsweise Krankheit nicht nur als subjektives Erleben zu definieren, sondern auch halbwegs objektivierbar zu machen, hat die Medizin verschiedene Gesundheitsparameter entwickelt.

Nach der Studie „Leben in Wien" sind zwar nur 11% der Wiener Bevölkerung (ohne Personen, die in Pflegeheimen wohnen) chronisch oder akut krank, doch fühlen sich andererseits nur 27% der Bevölkerung „vollkommen gesund". Dies zeigt, daß zwischen „gesund" im medizinischen Sinn und persönlichem Gesund-Fühlen eine große Kluft besteht. Das ist nicht allzu verwunderlich, bedenkt man, daß wir alle heute zahlreichen Streß- und Belastungsfaktoren ausgesetzt sind. Nach einer anderen in Wien durchgeführten Studie haben 47% der Frauen und 36% der Männer vegetative Beschwerden.[3]

Während die Leistungen der Hochschulmedizin und der pharmazeutischen Industrie es möglich gemacht haben, vielen lebensbedrohenden Krankheiten erfolgreich den Kampf anzusagen, ist die Weltbevölkerung insgesamt nicht gesünder geworden. Alte Seuchen verschwinden, aber neue treten auf. Tourismus und Wanderbewegungen verursachen die Verbreitung territorial begrenzter Epidemien. In den Industrienationen nimmt die Anzahl sogenannter Zivilisationskrankheiten – trotz Vorbeugung und verbesserter medizinischer Kontrolle – zu. Alkohol- und Drogenprobleme sind nicht wirklich in den Griff zu bekommen, und die Tendenz der Depressionserkrankungen ist eher steigend. Psychogene und psychosomatische Erkrankungen werden auch zukünftig Wegbegleiter unserer Gesellschaft sein.

Das Leben in der Stadt bietet nicht nur Vielfältigkeit, sondern bringt auch Gefährdungen für das psychische und physische Wohlbefinden

[3] Bisher unveröffentlichte Studie der Stadt Wien

mit sich. Der weltweite Trend zu Mega-Citys wird die Stadtpolitik überall vor neue Herausforderungen stellen. Die WHO hat daher dem Jahr 1996 das Thema „Gesunde Städte" vorangestellt. Megastädte leiden an überbevölkerten Stadtteilen, haben Probleme bei der Müllversorgung und der verstärkten Luftverschmutzung und einen Mangel an adäquater Wasserversorgung. Wien ist zwar sehr weit von diesem Horrorszenarium entfernt, doch zeigen sich Vorboten der globalen Trends auch bei uns. Und langsam beginnt man, Gesundheit in einem größeren Zusammenhang zu sehen.

Gesundheitsbewußtsein fängt bei der individuellen Verantwortung an und führt über die Durchführung entsprechender Maßnahmen in Betrieben und Organisationen und der Bildung weltweiter Netzwerke zu einem globalen Einstellungswandel gegenüber menschlichen und natürlichen Kraftreserven.

Abgesehen von Zivilisationserkrankungen, hervorgerufen durch Umweltverschmutzung, Streß und ungesunde Lebensführung, die alle betreffen, sehen sich junge Menschen in den 90er Jahren vor allem mit zwei Arten von globalen Gesundheitsgefahren konfrontiert: HIV und Drogen. Weltweit werden unablässig Versuche gestartet, Lösungen für diese Problembereiche zu erarbeiten, doch ein wirklich entscheidender Durchbruch ist noch nicht gelungen. Nach einer vom Ludwig Boltzmann-Institut für Gesundheitspsychologie der Frau 1994 durchgeführten Studie beschäftigen sich 82% der Jugendlichen mit dem Thema AIDS. Sie wollen mehr über Ansteckungsmöglichkeiten, Krankheitssymptome und den Umgang mit AIDS-Kranken wissen. Die Anzahl der HIV-Infektionen in Europa ist weiterhin im Steigen und betrifft vor allem die Unter-35jährigen. Frauen sind einem doppelt so hohen Risiko ausgesetzt. Manche Experten wiederum befürchten, daß die konventionellen „Safer-sex"-Kampagnen auch zu einem Abstumpfen gegenüber dem Thema AIDS und in der Folge einem Mangel an Vorsicht geführt hätten.

Wie der Autor des Buches „Designer-Drogen" schreibt, sind im Bereich der Anti-Drogen-Kampagnen überall Fehler begangen worden, da nicht authentische Informationen, sondern emotionalisierte Halbwahrheiten verbreitet worden seien. „Der Politiker sieht nie einen Fixer oder würde gar mit ihm reden; die Forscher haben keinen Kontakt zur Polizei und hören nicht auf sie; die Polizei ihrerseits weiß nur um ein zu bekämpfendes Übel und fast nichts über sozialpsychologische und neurophysiologische Hintergründe des Drogenkonsums."[4] Ein gravierender Fehler in der Drogendebatte wird überall dort begangen, wo Jugendliche nicht in die Diskussion einbezogen werden. Dadurch wird das Vertrauen von jungen Menschen zur älteren Generation sicher nicht gefördert.

Bislang gibt es keine Kostenaufstellung bezüglich der Behandlung von Suchterkrankungen, wobei unter Sucht nicht nur die stoffgebundenen und allgemein bekannten Abhängigkeitserkrankungen wie Alkohol-, Nikotin-, Drogensucht und Medikamentenmißbrauch zu verstehen sind, sondern auch Abhängigkeitssyndrome wie Eßstörungen, Spielsucht oder Arbeitssucht. Alle diese Suchtformen haben Auswirkungen auf das physische und psychische Befinden und haben zumeist auch Sekundärerkrankungen zur Folge. Die Kosten, die dadurch für die Volkswirtschaft entstehen, sind sicherlich höher als angenommen. Alkoholismus führt in der Reihe der Suchterkrankungen und ist wahrscheinlich in 10 bis 25 Prozent aller Krankheiten entweder Hauptursache oder mitbeteiligt. Nach Angaben des britischen Gesundheitsministeriums beziffert sich der durch Alkohol- und Nikotinmißbrauch entstehende Schaden für die Industrie auf 13 Milliarden Pfund jährlich. In Deutschland werden jährlich 2000 (!) Kinder geboren, die durch Alkoholmißbrauch der Mutter schon im Mutterleib schwer geschädigt worden sind.

Wie der Arzt und Drogenbeauftragte der Stadt Wien, Dr. Alexander David, in Erinnerung ruft, verläuft der Weg in die Abhängigkeit langsam: „Immer hat es eine lange Entwicklung in die Abhängigkeit gegeben. Oft hat eine persönliche, familiäre oder schulische Konfliktsituation diese Entwicklung beeinflußt. Je früher es gelingt, diese Gefährdung zu bemerken und geeignete Hilfe in Anspruch zu nehmen, umso eher kann man die Entstehung einer schweren Suchterkrankung verhindern. Fast alle Drogen-, Alkohol- und Tablettenabhängigen haben zu spät erkannt, daß sie bereits süchtig sind. Das ist einer der Gründe, warum der Konsum dieser Substanzen so gefährlich ist."[5] In Englands Privatschulen sind vor einiger Zeit Drogentests eingeführt

---

[4] Sahihi, Arman: Designer-Drogen. Gifte, Sucht und Szene, München 1995, S. 107
[5] Drogen, Alk & Tabs – Wer hilft? In: Jugend-Info-Wien 4/94, S. 4

worden, da ein Drittel aller Schüler beiderlei Geschlechts bereits im Alter von 15 Jahren Erfahrungen mit Drogen gemacht hat. Verstärkte Maßnahmen zur Suchtverhütung werden auch von der Schweizer Fachstelle für Alkohol- und Drogenprobleme gefordert, deren Kampagnen in Schulen bisher keinen Erfolg gezeigt haben. Das Gesundheitsministerium in Großbritannien forderte die Ärzte dazu auf, Jugendliche gründlich über die Gefahren von Cannabis, LSD und Ecstasy aufzuklären.

Ecstasy ist auch bei uns eine Art Modedroge – vor allem im Zusammenhang mit Techno- oder Rave-Partys – geworden. Die Gefährlichkeit dieses künstlich hergestellten Amphetamins wurde unterschätzt, bis die ersten Todesfälle von Jugendlichen aufgrund von Ecstasy-Konsum bekannt wurden. Mittlerweile weiß man, daß die Droge nicht nur zahlreiche Nebenwirkungen hat, sondern auch irreversible organische Schäden verursachen kann. Jeder 20. Jugendliche hat bereits Erfahrungen mit Designer-Drogen.

Die Drogenstation im Anton Proksch-Institut in Wien wurde Anfang der 60er Jahre von Primarius Dr. Günter Pernhaupt gegründet. Die Institution hat sich zwar bewährt und bietet qualitativ hochwertige Therapien an, doch beträgt die Wartezeit für diejenigen, die sich für den Drogen-Ausstieg entschieden haben, inzwischen bis zu sechs Monate. Private Einrichtungen für Drogenentzug gibt es zwar auch – zum Beispiel die Zukunftsschmiede im niederösterreichischen Karnabrunn –, doch übertrifft die Nachfrage bei weitem das Angebot. Auch hier wird man sich in Zukunft vermehrte Privatinitiativen wünschen müssen.

Da die herkömmlichen Maßnahmen nicht ausreichen, um so konfliktträchtige Probleme wie die des Alkohol- und Drogenmißbrauchs zu lösen, werden in Zukunft wirkungsvollere Projekte zur Gesundheitsförderung entwickelt werden müssen, die u. a. die Kommunikation zwischen den beteiligten Gruppen fördern sollten.

Wie der Abt eines Klosters in Bangkok, das auf Heroin-Entzug spezialisiert ist, richtig feststellt, ist Drogenmißbrauch ein tiefes geistiges Problem. Es kann also nicht darum gehen, nur die die Sucht auslösenden Substanzen zu bekämpfen; vielmehr muß es uns darum gehen, das geistige Klima in der Gesellschaft so zu verändern, daß der Sucht insgesamt der Boden entzogen wird.

Die Fragen, die uns alle beschäftigen sollten, sind: Wie läßt sich das Suchtpotential in der Gesellschaft senken? Wodurch reift eine Gesellschaft?

Man darf davon ausgehen, daß sich unser Zugang zum Verständnis und zum Umgang mit Gesundheit und Krankheit ändern wird. Experten – wie der Sozialmediziner Richard Horst Noack – betonen, daß der Vorsorge, der Gesundheitserziehung und der Erforschung von verhaltens- und umweltbedingten Krankheiten in Zukunft größere Aufmerksamkeit geschenkt werden muß: „Unser biomedizinisches Krankheitsmodell betrachte ich keineswegs als überflüssig. Schließlich sterben wir ja auch alle an biologischen Problemen. Aber gleichzeitig ist dieses Modell nicht die Antwort auf alle Probleme des Gesundheitswesens; da sind ebenso psychologische, pflegewissenschaftliche, ökonomische und soziologische Ansätze notwendig."[6]

Man wird sich in Zukunft vermehrt dem Problem der Entpersönlichung durch Technisierung und Spezialisierung zuwenden müssen. Der wachsende Informationsstand der Patienten wird zu einem Umdenken der Ärzte und auch der pharmazeutischen Industrie zwingen. Was wir auf breitester Basis fördern müssen, ist das Denken in Prozessen und nicht in Funktionen. Die jüngere Generation steht einer nur auf Symptomreparatur abgestellten Schulmedizin und der weitgehend technisierten Arzt-Patient-Beziehung immer kritischer gegenüber. Health Care Services werden ebenso zunehmen wie der Umsatz von OTC-Produkten, also jener Arzneimittel, die rezeptfrei in Apotheken oder Drogerien erworben werden können.

Befragt man Schüler und Jugendliche zum Thema „Medizin", bekommt man sehr unterschiedliche Antworten, die aber auch die Emotionalisierung und Verunsicherung durch Eltern, Freunde oder Medien wiedergeben.

---

[6] Noack, Richard Horst, in: Pharmig info 3/96, S. 8

Vera, 18 Jahre

Die Alternativmedizin hat für mich große Wichtigkeit. Ich mache selber eine Bachblütentherapie, die wirkt. Behandlungen wie Akupunktur finde ich persönlich besser als Behandlungen mit Medikamenten, da ich erfahren habe, welche Nebenwirkungen entstehen können. Ich finde aber, daß man die Schulmedizin dadurch nicht vernachlässigen sollte.

Alexander, Maturant

Nur Teilbereiche der Alternativmedizin sind wirklich nützlich. Meine Mutter arbeitet mit dieser Art von Medizin. Aber ihr Fanatismus zur Gesundheit war so extrem, daß daran meine Familie zerbrach.

Daß sich der Dualismus von Körper und Geist, und damit auch der Konflikt zwischen Natur- und Geisteswissenschaft, schon auf persische und altgriechische Philosophen zurückführen läßt, ist bekannt. Diese Spaltung hat ihre moderne Spielvariante in der Auseinandersetzung von Schulmedizin und sogenannter Alternativmedizin. Viele sinnlose Kämpfe werden hier geführt, und nur selten kommt jemand auf den Gedanken, daß es sich bei Körper oder Geist um eine falsche Fragestellung handelt: „Die traditionelle wie die holistische Methode halten an der Unterscheidung von Geist und Materie beim Menschen fest und verschreiben sich damit einer überholten dualistischen Vorstellung von dem, was den Menschen ausmacht und wie er zur Welt in Beziehung steht. Wir brauchen eine neue Denkweise über Geist und Materie – Möglichkeiten, die der Dichotomie von Geist und Materie, die unsere moderne Medizin für selbstverständlich hält, übergeordnet sind. Jede Anschauung über Gesundheit und Krankheit, die die Rolle von Geist und Bewußtsein höher bewertet als die der Materie – *oder umgekehrt* –, ist doppelt mangelhaft: Sie ist schlechte Naturwissenschaft und auch schlechter Humanismus.“[7]

Wir werden also die Gräben, die wir zwischen der Schulmedizin und ihren Kontrahenten, den unorthodoxen alternativ-medizinischen Richtungen, aufgerissen haben, auch wieder zuschütten müssen.

[7] Dossey, Larry: Wahre Gesundheit finden, Bern und München 1991, S. 161

Ansätze dazu zeigt zwar die Einführung des Terminus „Komplementärmedizin“, der beiden Richtungen gerecht werden soll, doch gehen die medizinisch-ideologischen Diskurse auch unter diesem Deckmantel weiter. „Solange die Debatte sich um das Problem der *Dominanz* dreht, werden beide Seiten aus demselben Grunde ihr Ziel verfehlen: In der jetzt aufkommenden neuen Sicht des Menschen ist die Dominanz eines Aspekts unseres gesamten Seins über alle anderen Aspekte eine archaische, unzulässige und nicht haltbare Vorstellung. Denn die Materie beherrscht den Geist ebensowenig wie der Geist den Körper.“[8]

Für die fernere Zukunft des Gesundheitswesens bedeutet das nicht nur ein Umlernen von Ärzten und Patienten, sondern auch eine umfassendere Palette an Therapieformen und eine noch größere Aufgeschlossenheit gegenüber allen Behandlungsformen, angefangen von der physikalischen Medizin bis zu Naturheilverfahren. Das Körperbewußtsein der Menschen wird ebenso zunehmen wie der Wunsch nach psychotherapeutischer Unterstützung, die langsam ihre Stigmatisierung verliert. Dies nicht zuletzt auch deswegen, weil sich immer mehr öffentliche Institutionen, private Firmen und Unternehmen ein „Coaching“ leisten, wo, ähnlich wie in der Psychotherapie, Kräfte aktiviert werden, indem bisher unbewußt gebliebene Vorgänge aufgedeckt und ein geeignetes Instrumentarium zum Eingreifen in Krisen oder Konflikte gelernt wird.

Der schon erwähnte Einzug der Virtual Reality in den Operationssaal und computerunterstützte Operationen sowie neue Patientendaten-Management-Systeme werden Teilbereichen der Medizin zu erhöhter Wirksamkeit verhelfen. Die für die Allgemeinheit bedeutsamen Veränderungen werden aber aus dem Bereich der Immunologie kommen, denn Erkenntnisse über Zusammenhänge zwischen der Psyche und der Antwort des Immunsystems können zu einem gewandelten Umgang mit persönlichen Streßfaktoren führen. Dazu bedarf es aber auch einer anderen Gesundheitsstrategie: „Hätten wir eine Gesundheitspolitik, die dort ansetzt, wo große Zugewinne zu erzielen sind, dann würde sie in die Lebens-, Arbeits- und Schulwelt investieren – Bereiche, die zur Zeit vom Gesundheitsbudget her kaum berücksichtigt werden. Maxi-

---

[8] ebd., S. 159f

mal ein Prozent der Ausgaben fließt in diese Bereiche. Aber hier sind die großen gesundheitlichen Erträge zu erzielen"[9], wie der Vorstand des Instituts für Sozialmedizin Univ.-Prof. Noack meint.

Eine bereits Ende der 80er Jahre ins Leben gerufene Arbeitsgruppe des Projekts „Medizin 2000" konstatierte: „Für die jüngeren Menschen besteht ein Bedarf an Gesundheitserziehung und Information, sodaß gesundheitserhaltende Maßnahmen in den Vordergrund gerückt werden sollten. Es ist anzunehmen, daß die Patienten selbständiger, damit aber auch fordernder werden. Im Rahmen eines, wie es die Psychologen nennen, zunehmenden Leib-Seele-Verständnisses wird der Wunsch der Bevölkerung nach mehr Psychotherapie und im Rahmen der Ganzheitsbewegung nach mehr alternativen oder besser: komplementären Therapiemethoden kommen."[10] Dieser Trend wird durch die laufenden Diskussionen im Gesundheitsbereich bestätigt. In der Medizin der Zukunft werden Selbsthilfegruppen und privat organisierte Netzwerke immer mehr an Bedeutung erlangen. Alle Arten von Lebenshilfe-Programmen und Beratungstätigkeiten werden stark zunehmen.

Wie die Zeitschrift NEW BUSINESS angibt, liegt der Trend der Zukunft – angesichts des kollabierenden Gesundheitssystems und des öffentlichen Bewußtseinswandels im Geschäft mit der Gesundheit. Begriffe wie „Life-Style" und „Wellness" haben diese Bewegung schon angekündigt, die von schulmedizinischem Know-How bis zu Komplementär- und Ganzheitsmethoden, von Ernährungsberatung bis zu den vielfältigsten Angeboten der Psychotherapie und Lebensberatung reicht. „Die Gesundheit des Menschen wird zur begehrten Handelsware privatwirtschaftlicher Betriebe mit maßgeschneiderten Angeboten"[11], der Gesundheitsmarkt wird also in naher und ferner Zukunft boomen, was auch bedeutet, daß hier ein weites Feld für neue Jobs und Berufsmöglichkeiten eröffnet wird. Der Vorteil dieses Trends liegt in der veränderten Einstellung der Menschen zur persönlichen Gesundheit und in der individuellen Bereitschaft, auch aktiv etwas zur Erhaltung oder zur Wiederherstellung des Wohlbefindens zu tun. Der Nachteil dieses neu entstehenden Marktes ist der Mangel an Durchschaubarkeit und Überprüfbarkeit vieler Methoden. Fragen wer-

---

[9] Noack, R. in: Clinicum, Nr. 3 (März) 1996
[10] Zusammenfassung aus dem Bericht der Arbeitsgruppe Projekt Medizin u. Gesundheit 2000
[11] NEW BUSINESS, 4/96, S. 14

den sich stellen: Darf jeder alles anbieten? Was hilft wirklich? Wo ist die Grenze zwischen purer Geschäftemacherei und wirklicher Hilfe? Auch dieser Markt wird den mündigen Patienten und Konsumenten brauchen.

Erste Schritte in Richtung einer Veränderung des Krankheitsmanagements deuten Pilotprojekte an, die im Bereich der Patientenschulung ansetzen und nach Möglichkeit den Zuständigkeitsradius des niedergelassenen Arztes vergrößern. „Managed Care", also eine Art „Vorsorge im Verbund", wird auch in Österreich langfristig der Weg im Gesundheitswesen heißen, was, so wie ein Schweizer Experte ausführt, soviel bedeutet wie: „Verantwortung muß in Zukunft gemeinsam getragen werden. Neue Allianzen werden sich bilden müssen, das bisherige ‚Schwarze-Peter-Spiel' ist durch neue Kooperationsformen aller am Gesundheitswesen Beteiligten zu ersetzen."[12]

Die politischen Konsequenzen, die sich aus der Sorge und der Diskussion um das Gesundheitswesen ergeben, verlangen vor allem eine Förderung von Präventivmaßnahmen auf breiter Ebene.

Die Medizin der Zukunft wird eine Vorsorgemedizin werden müssen und nicht mehr vorwiegend eine Reparaturmedizin sein. Über das Wie werden wir alle noch viel nachdenken müssen – und auch darüber, wie wir unseren alten Mitmenschen eine begleitende medizinische Betreuung garantieren können, die einen möglichst beschwerde- und schmerzfreien Lebensabend sichert, ohne die finanziellen Grundlagen des gesamten sozialen Krankenversicherungssystems zu zerstören. Ohne tiefgreifende Reform des Spitalswesens mit dem Ziel einer Einbremsung der Kostenexplosion werden wir nicht durchkommen – auch nicht ohne Klärung der Frage, wer die Kosten tragen wird, wenn einmal Organverpflanzungen und andere sehr aufwendige und teure Operationen medizinischer Alltag für jedermann sein werden. Die Klärung der Frage, bis zu welchem Punkt lebensverlängernde technische Maßnahmen Pflicht sind und ab welchem Punkt sie nur der Verlängerung unvermeidbarer Qualen dienen, wird eine der großen Herausforderungen der medizinischen Ethik sein.

[12] Clinicum Nr. 1-2/96, S. 20

DIE NEUE WIRKLICHKEIT: ETHISCHE LEISTUNGSGESELLSCHAFT

Sehr gut erinnere ich mich jenes Sommertags im Jahr 1969, als ich zusammen mit meinem Vater die erste Landung eines von Menschen gesteuerten Raumschiffes auf dem Mond und die hüpfenden Schritte von Neil Armstrong im Mondstaub vor dem Fernseher verfolgte. Die ganze Welt hielt damals den Atem an, als der „Mann im Mond" von einem Märchenwesen zur realen Wirklichkeit wurde. Triumph des menschlichen Erfindungsgeistes? Unaufhaltsamer Siegeszug von Wissenschaft und Technik? Prometheus auf dem Weg in die Weiten des Alls? Oder in eine Sackgasse von wahrhaft kosmischer Dimension? Mein Vater formulierte damals einen einzigen Satz, und ich erinnere mich genau an dessen Wortlaut: „Bernhard", sagte er, „ich bin froh, daß ich schon so alt bin." Der unausgesprochene Zusatz war für mich nicht zu überhören: „Mir ist das Ganze unheimlich."

Wie meinem Vater dürfte es vielen Menschen ergangen sein, und sogar manche von denen, die damals begeistert waren, sind inzwischen nachdenklich oder gar skeptisch geworden. Solche Reaktionen sind typisch für viele Menschen, die einem soliden Wertkonservativismus huldigen und diesen mit einem pessimistischen Weltbild verbinden. Die Entwicklung von Wissenschaft und Technik schreite immer schneller voran, so pflegen sie zu argumentieren, und die Entwicklung von Ethik und Moral bleibe immer weiter dahinter zurück. In der ständigen Vergrößerung des Abstands zwischen den beiden sehen sie ihren Pessimismus begründet. Eines Tages werde sich diese Kluft zur Katastrophe für die Menschheit weiten.

Ich verstehe diese Besorgnis, aber ich teile sie nicht. Auch ich bekenne mich zum Wertkonservativismus, also zur Notwendigkeit eines Konservierens, eines Bewahrens von Grundwerten, ohne die ein gesellschaftliches Zusammenleben von Menschen in Friede und Würde nicht möglich ist. Aber für mich hat sich ein solcher Wertkonservativismus immer mit einem optimistischen Welt- und Geschichtsbild verbinden lassen. Ich glaube nicht an die Selbstvernichtung der Menschheit. Ich glaube nicht an einen Schöpfergott, der den Menschen geschaffen und mit der Gottesgabe persönlicher Freiheit und Verantwortung ausgestattet hat – aber dies alles schon im Vorauswissen um das Mißlingen dieses großartigen Experiments. Ich glaube nicht an die apokalyptische Katastrophe, die so viele Unglückspropheten gerade auch jetzt wieder vor der Jahrhundert- und Jahrtausendwende an die Wand malen, als ob der Zusammenbruch unaufhaltsam wäre. Ich glaube an einen Sinn, der in den Gesetzen des Kosmos und im Verlauf der menschlichen Geschichte zutage tritt. Ich glaube an das Gelingen des Experimentes Mensch. Ich teile die Position von Georg Wilhelm Friedrich Hegel, daß sich dieser Weltsinn („Weltgeist" nannte er ihn) im Lauf der Geschichte zunehmend (also keineswegs überzeugend schon von Anfang an) offenbart. Ich bin daher auch der Auffassung, daß sich das Bewahren konservativer Werte mit der Notwendigkeit von Veränderungen in der Gesellschaft logisch verbinden läßt: Nur wenn sich Unwesentliches ändert, ist es möglich, Wesentliches zu erhalten.

Die Formulierung von Erich Fried, „Wer will, daß die Welt so bleibt, wie sie ist, will nicht, daß sie bleibt", kann ich durchaus unterschreiben, auch wenn sie von einem „Linken" kommt, der dies im übrigen auch nicht als erster erfunden hat. Vielfach ist vergessen worden, daß Benjamin Disreali, der vor mehr als hundert Jahren die Konservative Partei Großbritanniens im wesentlichen schon in ihren heutigen Strukturen geformt und wie kein zweiter vor oder nach ihm beeinflußt hat, einer der größten Reformer in der britischen Politik gewesen ist. Die von ihm betriebene Sozialgesetzgebung und die rechtliche Fundierung des Gewerkschaftswesens werden heute auch von seinen politischen Gegnern als „Charta der sozialen Freiheiten der Arbeiterschaft" gefeiert. Ein konservatives Wertbewußtsein hat also weder mit Weltpessimismus noch mit Fortschrittsfeindlichkeit zu tun. Es fällt nur nicht auf jeden schlechten Scherz des Zeitgeistes und nicht auf jeden neuen Modetrend herein, ohne sich aber notwendigen Änderungen und Weiterentwicklungen zu verschließen.

Für mich liegt also die Aufgabe eines wertkonservativen Politikers nicht darin, den Gang der Zeit aufzuhalten oder umzudirigieren. Ich muß nicht an jeder der vielen Wegkreuzungen der Geschichte stehen und ohnmächtig zuschauen, wie die Karawane des Zeitgeists unaufhaltsam an mir vorüberzieht. Ich stürze mich auch nicht in hoffnungslose Schlachten, um im günstigsten Fall hinterher stolz zu verkünden:

„Es ist mir gelungen, 20 Prozent der Neuerungen, die uns prophezeit worden sind, zu verhindern oder wenigstens zu verzögern!" Verhindern und Verzögern von Veränderungen sind keine Werte an sich. Sie müssen im konkreten Fall begründet werden. Bremsen kann durchaus einen Sinn haben – aber nur dann, wenn ansonsten Schleudergefahr oder das Risiko eines Zusammenstoßes bestehen. Auf gerader, freier Strecke ist Gasgeben die Regel, nicht ängstliches Blockieren. Das gilt auch für die Gesellschaftspolitik, wo Wegweiser und Leitplanken für unser aller Zukunft gezimmert werden.

Das beantwortet wohl auch die Frage, die sich mancher Leser und manche Leserin der vorangegangenen Kapitel gestellt haben mochten: Ist der Bernhard Görg wirklich ein Party-Löwe, der Raves besucht, mit Techno-Sound die Ohren füllt und nicht genug vom Clubbing bekommen kann? Nein, ist er nicht. Aber für mich sind Offenheit für neue Entfaltungen im Leben einer Gesellschaft und Toleranz für andere Erscheinungsformen zeitgenössischer Lebensäußerungen unverzichtbare Voraussetzungen für eine wirklichkeitsnahe Gesellschaftspolitik. Noch einmal: Wertkonservativismus sagt nicht gleich ja zu allem Neuen, fällt nicht gleich auf Modegags und alle Kapriolen herein, die der Zeitgeist geistlos schlägt. Aber er wendet sich auch nicht mit Grauen oder zumindest Ratlosigkeit von allem ab, was sich neu entwickelt, er verzweifelt nicht am anderen und an anderen, sondern beobachtet, hinterfragt kritisch, aber nicht verständnislos und räumt Neuentwicklungen die Chance der Bewährung ein. Das bekannte Bibelwort „Prüft alles und behaltet das Gute!" (1 Thess. 5, 21) erweist sich da als recht brauchbare Faustregel für aufgeklärten Wertkonservativismus. So möchte ich auch dieses Buch verstanden wissen: nicht als unterschiedslose Bejahung alles Neuen, nicht als Anbiederung an unkritische Fortschrittsjubler, aber als Bekenntnis zu Offenheit, Toleranz und kritischer Neugierde nicht nur für das, was war, sondern auch für alles, was ist und vielleicht kommen wird. Indem ich darüber schreibe, lade ich Gesinnungsfreunde und Leser wie Leserinnen unterschiedlicher geistiger Herkunft herzlich dazu ein, sich den Themen dieses Buches mit gleicher Unbefangenheit und Neugier zu nähern.

Zu solch fruchtbarer Neugier hat sich auch Manès Sperber bekannt, als er von sich sagte: „Seit meiner Jugend wollte ich wissen, was hinter den Hügeln der Hügel liegt." Es ist seither nicht leichter geworden, schon heute hinter die zweite Hügelkette zu schauen, aber wenigstens über die erste sollten wir unseren Blick immer wieder erheben. Hinter den Hügeln aber warten nicht immer nur neue Katastrophen. Gerne begründe ich auch noch, warum ich meine Einstellungen mit einer optimistischen Weltsicht verbinde und beziehe mich dabei auf zwei augenfällige Beispiele aus unserer Gegenwart: die Neueinschätzung des Krieges und die Neuerkennung der Umweltbedrohung.

Krieg hat jahrhunderte-, ja jahrtausendelang als ein mehr oder minder selbstverständliches, unverzichtbares Mittel der Politik gegolten. Wenn ein Staat sich stark genug fühlte, die Durchsetzung seiner Interessen mit Krieg zu erreichen oder zu verbessern, dann griff er zu diesem Mittel, ohne dafür vom Prinzip her getadelt zu werden. Herrscher wurden von Kritikern gerügt, zu früh oder zu wenig vorbereitet oder zu leichtfertig in Kriege gezogen zu sein, aber nie, weil Krieg an sich unsittlich und daher aus Prinzip verdammenswert wäre. Wohl haben Moralisten immer wieder die Leiden des Krieges beklagt und auf die „Zähmung" des Krieges durch Regeln und Riten gedrängt – aber nie ist ihnen ernsthaft in den Sinn gekommen, daß Krieg überhaupt vermeidbar und auf eine Ausnahmeerscheinung reduzierbar sein könnte. Zu einer solchen Haltungsänderung ist es erst im 20. Jahrhundert gekommen. Erst unser Jahrhundert hat den in vielen Sprachen übersetzten Friedensappell der großen Österreicherin Bertha von Suttner aus dem Jahr 1889 aufgegriffen und Krieg als Anliegen der Moral thematisiert. Nicht mehr nur um eine Definition des „gerechten Krieges" durch einengende Legitimationskriterien, nicht mehr um Bändigung der Blutgier durch Regeln und Organisationen, wie das Internationale Rote Kreuz oder die Genfer Konventionen, geht es seither, sondern um die Schaffung von Voraussetzungen für eine Vermeidung des Krieges überhaupt.

Der Völkerbund war ein solcher Versuch nach dem Ersten Weltkrieg. Er ging im Blutrausch des Nationalsozialismus und des Zweiten Weltkriegs unter. 1945 war es die Gründung der Vereinten Nationen, die dem gleichen Ziel dienen sollte. Und wie sehr man die UNO auch zu Recht kritisieren und ihre Unvollkommenheit beklagen mag – niemand kann behaupten, daß sie nutzlos geblieben und nicht doch ein erster spürbarer Fortschritt auf dem rechten Weg gewesen wäre. Nun soll niemand sagen, daß es nicht immer wieder und immer noch Kriege gäbe und von einem ewigen Frieden weit und breit nichts zu sehen wäre. Natürlich gelingt ein so monumentales Werk nicht auf Anhieb und nicht in einer oder zwei Generationen. Aber auch künftige Rückfälle in Krieg und Barbarei werden nichts daran ändern, daß der entscheidende Schritt getan und eine Entwicklung eingeschlagen worden ist, die darauf abzielt, Krieg international zu ächten, keinem Aggressor mehr ein Recht auf „Fortsetzung der Politik mit Mitteln der Gewalt" einzuräumen und internationale Gewaltanwendung ebenso zu ahnden wie innernationale: nämlich mit Hilfe von Polizei und Justiz. Die neue Zielsetzung ist eine Errungenschaft des 20. Jahrhunderts, die wir nicht gedankenlos der Phrase opfern dürfen, daß es „keinerlei moralischen Fortschritt gibt."

Das zweite Beispiel, das ich als Beleg für meinen Kulturoptimismus anführen möchte, ist das weltweite Bewußtwerden der Umweltproblematik. Auch dazu fällt den meisten Menschen heute nur ein, daß Notwendiges zu spät und zu langsam erfolge, daß die Menschheit weiter wie verblendet in ihr eigenes Verderben renne und selbst als richtig erkannte Maßnahmen wegen wirtschaftlicher oder sonstiger Interessen verschleppt und verwässert würden. Die Ungeduld ist begreiflich, das Drängen wünschenswert. Aber das Gesamturteil ist falsch. In Wahrheit haben nicht geheime Verschwörungen kapitalistischer Ausbeuter in der Vergangenheit zur Anhäufung von Umweltproblemen geführt, sondern schlichtes Nichtwissen. Wir haben einfach nicht gewußt, ja nicht einmal geahnt, welche Schäden Industrie- und Verkehrsabgase, Hausbrand und Fabriksschlote, Unrat im Wasser und Lärm in den Ohren, zuviel Ozon in Erdnähe und zuwenig Ozon in erdfernen Schichten der Atmosphäre anrichten. Wir haben es nicht gewußt. Seit wir es wissen, ist kaum ein halbes Jahrhundert vergangen. Ich behaupte, daß nie zuvor in der Geschichte der Menschheit das Erkennen einer uns alle bedrohenden Gefahr so rasch vor sich gegangen und so viele Konsequenzen ausgelöst hat! Ja, natürlich: immer noch zu wenig, immer noch zu langsam – aber nicht immer aus bösem Willen und übler Absicht, viel öfter aus Trägheit, Unsicherheit angesichts widersprüchlicher Gutachten, aus Mangel an Geld und immer noch auch an nötiger Einsicht. Dennoch ist das, was schon geschehen ist und was weiter geschieht, sehr viel angesichts der Umstände und Widerstände.

Die Weichen sind gestellt, weltweit. Die nach uns heranwachsenden Generationen werden nicht dulden, daß es zu einer Umkehr oder auch nur Einbremsung dieser Bewegung kommt. Daß unser Planet nicht ein Geschenk, sondern ein Lehen ist, das uns nicht zur rücksichtslosen Ausbeutung, sondern zur Erhaltung für künftige Generationen anvertraut ist, daß wir nicht Erben, sondern Sachwalter der Natur und ihrer Schätze sind: Das ist eine Überzeugung, die sich im Bewußtsein von immer mehr Menschen unausrottbar festsetzt. Es ist eine ethische Leistung, die Hoffnung macht, daß sich die „List der Vernunft", von der Hegel sprach, auch gegen widrige Umstände und umständliche Widerstände durchsetzt – und zwar immer dann mit besonderer Kraft durchsetzt, wenn die Not am größten und der Bedarf an Änderung und Neuerung am dringensten sind. So wie der Ost-West-Konflikt, den ein Gleichgewicht des atomaren Schreckens 40 Jahre lang gebändigt hat, in dem Zeitpunkt zusammenbrach, in dem das Vernichtungspotential beider Supermächte menschlicher Verfügbarkeit zu entgleiten drohte, dürfen wir annehmen und hoffen, daß auch das ökologische Gleichgewicht in der Welt wiederhergestellt sein wird, ehe die Destabilisierung des Ressourcenkreislaufs zur allgemeinen Zerstörung führt.

Freilich, eins muß hier sofort angefügt werden: Das alles kommt nicht von selbst. Nichtstun beschleunigt Katastrophen, statt sie abzuwenden. Auch der Weltgeist braucht die Hirne und Herzen und Hände der Menschen, um sich manifestieren zu können. Wenn alte Systeme und Ordnungen zerfallen, müssen die Menschen sich Gedanken darüber machen, wie neue auszusehen hätten, um den Erfordernissen gerecht zu werden. Wir werden auch in Zukunft eine an Grundsätzen und Werten orientierte, handlungsfähige Politik brauchen. Sie wird eine politische Ordnung zu schaffen, zu fördern und zu sichern haben, die ich auf Grund des bisher Gesagten **Ethische Leistungsgesellschaft** nennen und das im folgenden auch begründen möchte.

Der von mir gewählte Terminus beruht auf zwei Grundbegriffen: Leistung und Solidarität. Beide tragen als zwei wichtige Säulen das Ordnungsgefüge einer ethischen Leistungsgesellschaft. Beide sind gleich wichtig, gleichwertig, beide müssen gleichberechtigt und demnach auch gleich stark sein. Beginnen wir bei der ersten der zwei tragenden Säulen, der Leistung.

Leistung, so haben wir in der Schule gelernt, ist Arbeit, die in einer bestimmten Zeit erbracht wird: Je schneller jemand arbeitet oder je mehr er in gleicher Zeit arbeitet, um so größer ist die erbrachte Leistung. In der Elektrizität ist Leistung das Produkt aus Spannung und Stromstärke: Je stärker der Strom, um so größer die Leistung bei gleichbleibender Spannung. In beiden Fällen signalisiert die Definition: Leistung erfordert Mühe, Anstrengung, Energie. Der auf dem Markt ausgetragene wirtschaftliche Wettbewerb macht Leistung auch im ökonomischen Bereich meßbar. „Ohne Fleiß kein Preis" ist eine volkstümliche Alltagserkenntnis. Wenn der Konkurrent fleißiger ist als ich, muß auch ich meine Anstrengung vergrößern, um nicht aus dem Wettbewerb zu fallen. Wenn unsere Nachbarstaaten oder Länder der sogenannten Dritten Welt billiger produzieren als wir, müssen auch wir uns bemühen, die Kosten zu senken oder die Qualität des hergestellten Produkts oder der erbrachten Leistung zu erhöhen. Vielfach ist das Leistungsprinzip unter Beschuß von Sozialkritikern gekommen: Es führe, so wird behauptet, zu unmenschlicher Beanspruchung, zu Überforderung und Ausbeutung, zu Auszehrung an Leib und Seele, aber auch zu einseitiger Überschätzung wirtschaftlicher Werte. Ich glaube nicht, daß dieser Vorwurf generell stimmt und auf Arbeitsverhältnisse in einer Marktwirtschaft schlechthin übertragen werden kann. Allerdings läßt sich nur jenes Wirtschaftsmodell überzeugend und beweiskräftig verteidigen, das wir „soziale Marktwirtschaft" nennen, weil es auch jene am Ertrag der Gesamtwirtschaft beteiligt, die ohne eigene Schuld an der Erbringung von Leistungen nicht oder nicht im vollen Umfang teilnehmen können, also Kinder, Schüler, Studenten, Kranke, Unfallopfer, Behinderte, Arbeitslose, Pensionisten, Kindererzieher. An diesem Prinzip muß nach meiner festen Überzeugung auch in Zukunft eisern festgehalten werden: Eine „Marktwirtschaft ohne Adjektiv", wie wir von da und dort zu hören bekommen, also ohne soziale oder ökologische Modifizierung, ist unserer traditionellen österreichischen Vorstellung von einer um Gerechtigkeit bemühten Gesellschaftsordnung fremd. Dabei soll es auch in Zukunft bleiben, was notwendige Korrekturen aus prinzipiellen oder finanziellen Gründen nicht ausschließt.

In diesem Zusammenhang zögere ich nicht mit dem Bekenntnis, daß materieller Wohlstand, zu dem auch soziale Sicherheit zählt, für mich zweifelsfrei ein politisches Wunschziel ist. Ich halte wenig vom Gejammer jener, die, selbst mit Gehaltskonten und Sparbüchern wohlversorgt, große pathetische Reden gegen materielle Güter und Wohlstandsverderbnis schwingen. Vom Schreibtisch aus lassen sich gut und gern solche Vorwürfe erheben. In Wirklichkeit hält sich die behauptete Überversorgung selbst bei Besserverdienern unserer Gesellschaft in Grenzen, und die große Masse der Durchschnittslohnempfänger muß sich von solchen Sprüchen verhöhnt fühlen. Es ist meines Erachtens keine Schande, sich zu Wohlstand als einem wünschenswerten politischen Ziel zu bekennen, wenn man die damit verbundenen sozialen Verpflichtungen nicht außer acht läßt.

Wohlstand ist aber ohne Leistung nicht zu erreichen. Gerade in Zeiten unbarmherziger Konkurrenz bedingt schon jeder Stillstand einen Rückfall. Wenn dann andere den Ertrag wirtschaftlicher Weltleistung abschöpfen, ist das Leistungsprinzip damit nicht außer Kraft gesetzt, sondern nur anderen dienstbar gemacht. Das müssen aber keineswegs dann die Massen armer Völker sein und sind es leider in den meisten Fällen auch nicht, sondern wieder nur die eine oder andere Großfirma und ihre unmittelbaren Nutznießer. So gesehen, brächte etwa ein einseitiger Verzicht auf Höchsterträge im eigenen Land nur Probleme für die eigenen Unternehmen und ihre Mitarbeiterinnen und Mitarbeiter, aber keine Lösung des Problems sozialer Gerechtigkeit im Weltmaßstab.

Ähnliches muß man von der immer wieder zu hörenden Forderung nach Einschränkung des Wirtschaftswachstums sagen. Gewiß stimmt es, daß ein Lebensstandard nach dem Muster westlicher Industrienationen – auf der ganzen Erde erreicht – die Lebensgrundlagen unseres Planeten erschüttern würde. Dennoch ist es schwer vorstellbar, im reichen Westen und Norden der Erdkugel gewissermaßen einen Wachstumsstopp auszurufen, bis die ärmeren Völker endlich an unser Niveau angeschlossen haben. Wer sollte das verfügen? Welche politische Instanz könnte sich anmaßen, im Namen einer gewissermaßen erdumspannenden Gerechtigkeit den einen Verzicht und den anderen Mehrgenuß zu verordnen? Ein solches System würde viel kosten, nie funktionieren und niemandem das Gefühl vermitteln, jetzt gehe es gerechter auf dieser Welt zu. Das wirksamste System bleibt die auf Leistung fußende Marktwirtschaft, die von sich aus dazu führt, daß weiter entwickelte Länder geringere Wachstumsgrößen aufweisen als Staaten mit großem Nachholbedarf, auch wenn diese Entwicklung vielen von uns mit Recht zu langsam vor sich geht. Über gerechtere Austauschverhältnisse muß international geredet, verhandelt und beschlossen werden, was in vielen Gremien ja auch immer wieder der Fall ist. Für die einzelne Volkswirtschaft bleibt nichts anderes übrig, als sich dem Leistungswettbewerb im eigenen Land und in der Gemeinschaft aller Staaten und Völker zu stellen.

Ich glaube, daß dafür gerade auch die junge Generation, wenn sie die Dinge nüchtern betrachtet, Verständnis aufbringt. Die Förderung von individueller Leistung bedeutet letzten Endes ja auch nichts anderes als die Förderung aller Talente, Anlagen und Fähigkeiten, die in einem Menschen schlummern und deren Entfaltung zu jener Selbstverwirklichung gehört, die in ihrem Grundanliegen richtig und förderungswürdig ist. Unmenschlich und damit unsittlich wäre das Ziel, aus einem Menschen mit Gewalt die letzten Kraftreserven herauszupressen, um diese in den Dienst eines politischen oder sonstigen Propagandaanliegens zu stellen, wie es im „Stachanow-System" des „realen Sozialismus" ehemals kommunistischer Länder der Fall war. Wo es Stachanow-Methoden auch in Marktwirtschaften gibt, sind sie selbstverständlich abzulehnen. Aber die Schaffung von Rahmenbedingungen, so daß jeder Mensch seine Leistungskraft optimal entfalten und sich dafür entsprechende materielle Gegenleistungen sichern kann, bleibt für mich ein unverrückbarer politischer Auftrag.

In der Praxis stößt man hier auf spektakuläre Widersprüche. Gegen die sportliche Leistungsgesellschaft gibt es kaum ernsthafte Einwände. Daß Leistungssportler die letzten Kräfte aus sich herausholen, gilt als selbstverständlich, und jedes eigenverschuldete Versäumnis in diesem Bereich wird laut ausgebuht. Dafür sind selbst Sportfunktionäre, die gleichzeitig Gewerkschaftsfunktionäre sind, ein beredtes Zeugnis. Typisch für die gespaltene Zunge, mit der darüber oft geredet wird, war für mich in dieser Hinsicht immer der ehemalige Fußball- und ÖGB-Funktionär Karl Sekanina, der den Trainer der Nationalmannschaft mehr als einmal scharf kritisierte, weil die erwartete Leistung nicht erbracht wurde, als Gewerkschafter aber rasch mit dem Vorwurf zur Stelle war, da oder dort würden Arbeiter durch ihre auf Leistung bedachten Arbeitgeber „ausgebeutet".

Freilich soll auch nicht verschwiegen werden, daß die tägliche Berufsarbeit mitunter sehr hart und so anstrengend sein kann, daß der Kräfteverschleiß auf Kosten der Familie und vor allem der Kinder geht. Das haben junge Menschen auch längst erkannt und ihre Arbeitsplanung solchen Erfordernissen angepaßt. Für die ersten Nachkriegsgenerationen war es eine Selbstverständlichkeit, lieber für Überstunden zu kassieren, als einen Zeitausgleich dafür in Anspruch zu nehmen. Heute hat sich das Verhältnis zwischen Kassierern und Freizeitanhängern zugunsten der Zeitausgleicher umgekehrt. Der deutsche Sozialphilosoph

Theodor Adorno („Dialektik der Aufklärung“) hat durchaus scharfsinnig festgestellt, daß es „zwei Maße für Freiheit gibt: Zeit und Geld.“ Der Trend in der jüngeren Generation zu einem ausgewogeneren Verhältnis zwischen den beiden ist ein gutes Zeichen dafür, daß die Menschen selbst am besten wissen, was ihnen gut tut, sodaß ihnen dies niemand von oben herab verordnen muß. Vermutlich wird ein dosiertes Zurückschalten im Arbeitsaufwand in der beschriebenen Art mehr zur Flexibilisierung der Arbeitszeiten und letztlich auch zur Verringerung des Abstandes zwischen reichen und armen Völkern beitragen, als alle bürokratischen Regelungen einer zentralistischen Kommandowirtschaft es vermöchten.

Auch von Spitzenmanagern unserer Wirtschaft hört man bisweilen, daß der eine oder der andere den täglichen Streß übersatt bekommen und sich für einen „Ausstieg“ entschieden hat. Respekt vor solchen Entscheidungen! In meinem Zukunftsmodell der Gesellschaft wird die Möglichkeit dafür nicht nur offenzuhalten, sondern bewußt zu forcieren sein. Besonders herausgeforderten Spitzenkräften der Wirtschaft muß die Möglichkeit geboten werden, einmal ein Jahr oder auch zwei auszuspannen, etwas ganz anderes als bisher zu tun, wieder nachzudenken und seelisch aufzutanken. „Sabbatical“ nennen die Angloamerikaner die biblischem Vorbild folgende Sitte, einem Universitätsprofessor nach Ablauf einer bestimmten Zahl von Dienstjahren ein Jahr für Forschung oder Reisen oder auch nur Erholung oder all das zusammen freizugeben. Man sollte den Begriff „Sabbatical“ sehr weit fassen und eine solche Möglichkeit weit über den Universitätsrahmen hinaus schaffen.

Die verstärkt feststellbare Diskussion über „Lebensarbeitszeit“ an Stelle starrer Wochen- und Jahresarbeitszeit läuft in die richtige Richtung. Wichtig ist dann freilich, daß es nicht nur eine legale Ausstiegsmöglichkeit, sondern auch eine Wiedereinstiegsmöglichkeit geben muß. Man will ja nicht für immer von guten Mitarbeitern und Mitarbeiterinnen Abschied nehmen und sie vielleicht für den Rest ihrer Arbeitsjahre als Schafzüchter belächeln, sondern auf die Leistungen der Frischgestärkten wieder bauen können. Denn eins ist auch gewiß: Es können immer nur ein paar aussteigen – und die anderen müssen durch ihre weiterhin erbrachten Leistungen dafür sorgen, daß dies problemlos möglich ist. Wenn alle ausstiegen, wäre die Katastrophe nicht aufzuhalten!

Um eine volle Leistung erbringen, also die eigenen Talente optimal entfalten zu können, müssen die Ausbildungs-, Fortbildungs- und Bildungsmöglichkeiten in unserem Land weiter verbessert werden. Das ist meine einzige Kritik am Sparpaket der Bundesregierung, dessen Notwendigkeit ich voll einsehe und dessen Lastenverteilung ich ansonsten trotz mancher unschöner Details mittrage. Aber daß mit unverkennbarer Lieblosigkeit auch im Bildungsbereich der Rotstift so angesezt wurde, daß man am Bestehen eines sinnvollen Konzeptes aufrichtig zweifeln muß, hat mich wirklich gestört. Was nützt ein Bekenntnis zu „lebenslangem Lernen" in der Regierungserklärung, wenn die notwendigen Aufwendungen dafür wie alles andere linear zusammengestrichen werden? Ich verkenne auch durchaus nicht die Möglichkeit, durch Kürzungen auch im Universitätsbereich den Hinweis auf notwendige Strukturverbesserungen mit mildem Nachdruck zu versehen. Aber dann sollte wenigstens erkennbar werden, was man sich dabei im einzelnen gedacht hat. So kann ich mir sehr wohl vorstellen, daß die Voraussetzungen für ein gezieltes Werben unserer Schulen und Universitäten um Schüler und Studenten beiderlei Geschlechts geschaffen werden müßten. Die von einzelnen Medien in jüngster Zeit vorgenommenen Bewertungen österreichischer Unterrichtseinrichtungen sind ein richtiger Schritt in Richtung eines verstärkten Wettbewerbs um Qualität und Leistung. Schließlich verlange ich aber von den Verantwortlichen auch den Mut, in aller Offenheit zuzugeben, daß am Ende eines Umstrukturierungsprozesses letzlich mehr und nicht weniger Geld für Bildungsausgaben notwendig sein wird. „Ohne Fleiß kein Preis" – das müssen sich auch die Bildungspolitiker hinter die Ohren schreiben lassen! Das Beispiel von Schweden, wo nicht (nur) die Unterrichtseinrichtungen selbst, sondern (auch) die Eltern von Schülern bestimmte Summen vom Staat erhalten, die sie für Bildungszwecke verwenden und dies auch belegen müssen, scheint mir nachahmenswert: Ein solcher „Bildungsscheck" wäre auch ein Beitrag zur Stärkung von Eigenverantwortung an Stelle staatlich vollzogener Bürgerbeglückung.

Solidarität ist also die zweite tragende Säule der ethischen Leistungsgesellschaft, die mir als sinnvolles Modell der Zukunft vorschwebt. Man könnte auch „Mitgefühl" als Eindeutschung des englischen Wortes „compassion" sagen, aber in diesem deutschen Wort steckt viel mehr Herz-Schmerz-Kommerz als im englischen Original. Es geht nicht um Sammelbüchsen für Katastrophenopfer. Das schöne Wort von

Francis Bacon: „In charity there is no excess“, vor 400 Jahren geschrieben, war schon im vorigen Jahrhundert zwar nicht überholt, aber ergänzungsbedürftig. Gewiß kann auch heute noch immer nicht genug für karitative Zwecke getan werden, aber „Caritas“ allein reicht nicht aus, die Ungerechtigkeiten der Gesellschaftsordnung auch nur annähernd auszugleichen. Das hat schon im vergangenen Jahrhundert zu der Erkenntnis geführt, daß dafür politische Rahmenbedingungen und soziale Gesetze notwendig sind. Sie sind es heute um so mehr, und ich will gern begründen, warum dies keine phrasenhafte Übertreibung ist.

Bis in die Gegenwart herein hat das System der sozialen Marktwirtschaft, das auf Leistung und Wettbewerb aufbaut, im großen und ganzen immer mehr Menschen zu immer mehr materiellem Wohlstand verholfen. Das hat im Einzelfall manche Überbürdung und viel Streß verursacht, aber insgesamt hat die Bevölkerung davon profitiert, und das soziale Netz hat die individuellen Opfer des Systems – neben den Leistungsunfähigen auch alle jene, die der Wettbewerb aus dem Markt gedrängt hat – aufgefangen. Zum erstenmal erleben wir heute Anzeichen auch von kollektivem Streß. Zum erstenmal ist Wirtschaftswachstum nicht mehr mit einer Zunahme von Arbeitsplätzen verbunden. Zum erstenmal ist Vollbeschäftigung kein Konjunkturmerkmal mehr. Zum erstenmal kann man von einer florierenden Wirtschaft sprechen, in der ein ernstzunehmender Teil der arbeitswilligen Bevölkerung nicht floriert.

Diese Entwicklung ist vor allem auf zwei Ursachen zurückzuführen: die technologische Entwicklung und die Globalisierung des Wettbewerbs. Die Entwicklung der Technologie ist bekannt: Immer mehr bisher von Menschen verrichtete Arbeiten werden von computergesteuerten Maschinen schneller, effizienter, verläßlicher, besser erbracht. Die dadurch freiwerdenden Arbeitsplätze werden aber nicht mehr, wie in der ersten Phase dieser Entwicklung, durch neue Arbeitsplätze in der Computerindustrie kompensiert. Plus und Minus lassen auf dem Arbeitsmarkt einen Negativsaldo zurück, der größer, nicht kleiner zu werden droht. Die Globalisierung des Wettbewerbs aber bedeutet, daß sich an der internationalen Waren- und Dienstleistungskonkurrenz zunehmend auch Anbieter aus der Dritten und in jüngster Zeit auch aus der Zweiten Welt, also dem früher kommunistischen Osteuropa, beteiligen, die in verschiedenen Branchen gleiche Qualität bei niedrigeren Kosten bieten können, weil in diesen Ländern die Arbeitskräfte schlechter entlohnt werden. Das wird sich zwar mit der Zeit ändern, aber zunächst wird sich das Problem wohl noch verschärfen.

Wären die Gewerkschaften bereit, wirklich international zu denken und zu handeln, wie sie es gern von sich behaupten, würden sie viel mehr Energie darauf verwenden, den Arbeitern in diesen Ländern zu menschenwürdigen Löhnen zu verhelfen. Solche Verbesserungen kämen Millionen teilweise wirklich ausgebeuteter Arbeiter zugute und würde gleichzeitig den Anreiz für Westfirmen verringern, ihre Produktionen in solche Länder auszulagern und damit Arbeitsplätze in Westländern zu vernichten. Von einer konzentrierten internationalen Gewerkschaftsaktion zugunsten von Lohnerhöhungen in Osteuropa oder gar Ostasien ist aber weit und breit nichts zu sehen. Jede Gewerkschaft handelt im engen Rahmen nationaler Interessen: Deutschen Gewerkschaftern genügt es, wenn Arbeitsplätze in Deutschland erhalten bleiben, auch wenn dies (wie im Fall Conti/Semperit) Arbeitsplätze in Österreich kostet. Und österreichische Gewerkschafter geben sich genauso damit zufrieden, ihre heimische Klientel zu bedienen, statt auf internationalem Boden grenzübergreifende Lösungen im Sinn größerer Gerechtigkeit für alle zu suchen. Genau darum aber ginge es, und genau das ist die Begründung für meine Vorstellung, daß in der heutigen Situation nicht weniger, sondern mehr soziales Ethos erforderlich ist, um eine Leistungsgesellschaft in Balance zu halten, die immer mehr Streß mit sich bringt und von der man nur eines mit Sicherheit sagen kann: daß sie immer noch um vieles besser als ihre Alternative, nämlich eine dirigistische Zentralverwaltungswirtschaft, ist. Eine solche wäre, wie die vielfachen Erprobungen in Diktaturen, aber auch in Demokratien längst bewiesen haben, ungleich weniger effizient, ungleich weniger gerecht und ungleich weniger menschlich. Daher bleibt für mich die klare Schlußfolgerung: Ja zur Leistungsgesellschaft, aber zu einer durch ethische Grundsätze temperierten Leistungsgesellschaft.

„Für die Demokratie taugt nur ein kantianischer Mensch, der auch die anderen Menschen mit sich mitdenkt." Dieses Wort des zeitgenössischen italienischen Christdemokraten Roco Buttiglone bezieht sich auf den bekannten Kategorischen Imperativ des Königsberger Philosophen: „Handle so, daß die Maxime deines Willens jederzeit zugleich als

Prinzip einer allgemeinen Gesetzgebung gelten könnte." Dieses Prinzip verbietet schrankenlosen Egoismus, aber keineswegs Selbstverwirklichung durch Bestätigung eigener Leistung, solange diese nicht auf Kosten anderer geht. In der Sozialen Marktwirtschaft, wie sie in den Nachkriegssystemen Deutschlands, Österreichs und vieler anderer Länder Europas verwirklicht wurde, wurde dieser Grundsatz durch die Modifizierung „sozial" zum Ausdruck gebracht. Wer an der Erbringung einer Leistung unverschuldet gehindert ist, soll nicht ausgegrenzt und der Verelendung preisgegeben werden. Diese Strategie hat sich für ihre „Erfinder" mehr als bezahlt gemacht und ihr ethisches Denken auch mit materiellen Vorteilen reichlich belohnt: Nur Massenkaufkraft sichert auf Dauer Wirtschaftswachstum, und nur sozialer Friede, der ein Land auch als Unternehmensstandort empfiehlt, garantiert auf Dauer eine blühende Wirtschaft. Man kann also guten Gewissens sagen: Ethik lohnt sich auch im Wirtschaftssystem.

Das gilt auch für die zweite Modifizierung, die in jüngster Zeit zum „Sozialen" in der Marktwirtschaft dazugekommen ist: der ökologische Aspekt. Von einer „Ökosozialen Marktwirtschaft" darf man Bedachtnahme nicht nur auf soziale Anliegen ihrer Subjekte, sondern auch auf Umwelterfordernisse erwarten. Auch das sollte nach dem heutigen Stand der Erkenntnisse selbstverständlich sein: Nur wer durch sein Wirtschaften nicht die natürlichen Grundlagen der Wirtschaft zerstört, kann auf Dauer überleben. Im Grunde geht es um nichts anderes als um das Bewußtmachen einer lapidaren Tatsache: Die Wirtschaftsfaktoren müssen leistungsfähig erhalten werden, damit Wirtschaften möglich bleibt. Als traditionelle Wirtschaftsfaktoren gelten Grund und Boden, Arbeit und Kapital, wobei man häufig das „Humankapital" von der Arbeit, zu der man es durchaus auch zählen könnte, abspaltet und als eigenen Wirtschaftsfaktor erwähnt. Daß Kapital gepflegt werden muß, damit es „arbeiten" kann, haben wir immer gewußt. Daß auch die Arbeit, sprich: die arbeitenden Menschen nicht ausgebeutet werden dürfen, sollen sie auf Dauer ihre Leistung erbringen, haben wir bald erkannt und im Sozialbereich dafür Sorge getragen. Zu guter Letzt ist man draufgekommen, daß auch Grund und Boden als Wirtschaftsfaktor besonderer Rücksichtnahme bedarf: Daraus ist die Ökologie geworden. Dieses nunmehr als ökosozial gekennzeichnete Wirtschaftssystem ist ein wesentlicher Bestandteil dessen, was ich als „ethische Leistungsgesellschaft" bezeichne.

Dieses Modell läßt sich selbstverständlich auch auf den traditionellen Generationenkonflikt anwenden, den es immer wieder in zeitgemäßer Form auszutragen gilt. Bekanntlich beruht unser derzeitiges Sozialsystem auf dem Grundsatz, daß die jeweils im Berufsleben stehende Generation auch die Leistungen finanziert, die für Kranke, Behinderte und auch Ruheständler zu erbringen sind. Für unsere Pensionen haben wir also nicht, wie eine gern ausgestoßene Beschwörungsformel es sehen möchte, „lange genug eingezahlt", sondern wir haben eingezahlt, damit unsere Väter und Mütter ihre Pension genießen konnten. Für unsere Pensionen stehen unsere Kinder gerade, und für deren Pension die Enkel. Und seit langem schon müssen alle Steuerzahler kräftig zuschießen, weil die Pensionsbeiträge der Berufsgeneration nicht annähernd ausreichen.

Für die praktische Lösung der damit verbundenen finanziellen Probleme stelle ich mir folgendes vor: Für die Kriegsgeneration der heute älteren und alten Mitbürgerinnen und Mitbürger, die Krieg und Hunger miterlebt und den großartigen Wiederaufbau getragen haben, soll es keine gravierende Neuerung mehr geben. Der bescheidene Wohlstand, den diese Menschen sich durch ihre beispielhaften Leistungen geschaffen haben, soll ihnen unangetastet erhalten bleiben. Die eigentlich Priviligierten gehören meiner Generation an, der Krieg und unmittelbares Nachkriegselend erspart geblieben ist, die eine aufwärtsstrebende Wirtschaft vorfand, wo sie, von guten Schulen darauf vorbereitet, ohne allzu große Risiken Karriere machen und im Mißerfolgsfall mit einem festgespannten Sozialnetz rechnen konnte. Wir werden angesichts bekannter Finanzprobleme den Riemen etwas enger schnallen und entweder länger arbeiten oder akzeptieren müssen, daß der Beitrag unserer Kinder zur Sicherung eines angenehmen Lebensabends für uns mit Augenmaß eingeschränkt wird. Wir dürfen der Nachfolgegeneration, die ab sofort mit weitaus größerer Unsicherheit im Wirtschaftsleben rechnen muß, als es für uns der Fall war, keine unzumutbaren Lasten aufbürden. Wer genau so früh wie bisher in Pension gehen will, soll die Möglichkeit dazu haben, sich aber mit einer geringeren Pensionshöhe zufriedengeben. Die unerläßliche Flexibilisierung des Pensionsantritts wird eine Ergänzung zur notwendigen Flexibilisierung der Arbeitszeiten darstellen und zu jener Vergößerung der Wahlchancen im Leben jedes Menschen beitragen, die heute zum wesentlichen Merkmal persönlicher Freiheit geworden ist.

Ethik in der Wirtschaft ist also kein Luxus und nicht einmal der Luxus eines ertraglosen Idealismus, sondern ein Ausdruck wohlverstandenen Eigeninteresses. Aber bei meinem Modell der „ethischen Leistungsgesellschaft“ denke ich natürlich nicht nur an die Wirtschaft. Es ist hier nicht der Platz, über Politik und Kunst, Schule und Sport und alle übrigen Bereiche der Gesellschaftspolitik zu reden. Aber einen Aspekt möchte ich doch noch herausgreifen: das Wachsen des Raumes, der zwischen Individuum und Staat liegt, der immer größer wird und der sinnvoll ausgefüllt werden muß. Immer loser werden die Bande innerhalb der Familien, immer nebuloser die Familienstrukturen selbst. Das mag einem mißfallen oder auch nicht, jedenfalls ist es so. Andererseits wollen sich sichtlich immer weniger junge Menschen aktiv unter Einsatz aller Kräfte in der Politik engagieren. Auch das mag man bedauern, ohne daß man es damit auch schon geändert hätte. Solange wir eine solche Entwicklung zur Kenntnis nehmen müssen, gilt es, für den Idealismus der Jugend neue Betätigungschancen im vorstaatlichen Raum, im „primären Sozialsystem“, zu schaffen. Es ist einfach nicht wahr, daß die heutige Jugend keinen Idealismus mehr hat. Es stimmt einfach nicht, daß jeder und jede nur an sich und nie an andere denkt, auch wenn der äußere Anschein oft zu solcher Vermutung führen mag. Wir müssen uns vielmehr fragen, ob wir nicht als Politiker zu sehr an unser eigenes Geschäft und zuwenig an die vielen Möglichkeiten denken, die sich in dessen Vorfeld bieten und die gerade in einer demokratischen Gesellschaft sehr wichtig sind. Österreich ist ein Land, in der das Vereinswesen blüht. Zu den vielen Traditionsvereinen der Vergangenheit, von denen die meisten auch heute noch ihre Anhänger haben, sollen sich neue, moderne gesellen, die in die Zukunft zielen. Geselligkeit, Unterhaltung, Freizeitvergnügen sind legitime Motive für solches Vereinsengagement. Aber es soll Platz und Ermutigung auch für sozial orientierte Einrichtungen geben, die jungen Menschen die Chance zu einer permanenten „Love Parade“ geben!

Einmal „Love Parade“ in Berlin als Demonstrationstag für Liebe im Alltag – ein wunderbarer Anstoß! 365mal „Love Parade“ in ganz Österreich – das wäre die perfekte Schlußfolgerung aus einem solchen Denkanstoß! Und genau genommen, passiert das ja auch schon: in ungezählten Sozialhilfe- und Nachbarschaftsaktionen, im Jugendrotkreuz und bei den Maltesern und im Samariterbund, in Selbstbesteuerungsgruppen für Entwicklungshilfe, bei Amnesty International und Christian Solidarity International und in vielen anderen Bewegungen,

Gruppen und Verbänden, wo freiwillig tätige Nächstenliebe praktiziert wird. Alle diese Engagements müssen ermutigt und gefördert werden.

Die Frage liegt nahe: Warum nicht gleich ein gesetzliches „Sozialjahr" einführen, das alle jungen Österreicher beiderlei Geschlechts für einige Monate zu einer Gemeinschaftsleistung sozialer oder karitativer Art verpflichtet? Ein solches „Sozialjahr" (das nicht ein ganzes Jahr dauern müßte) wird gelegentlich immer wieder im Zusammenhang mit dem Wehrersatzdienst junger Männer, die nicht zum Bundesheer einrücken wollen, diskutiert. Wo Zivilhelfer das Gefühl haben, sinnvolle Arbeit zu verrichten, sind sie in der Regel sehr davon angetan und scheuen auch anstrengende Verpflichtungen nicht. Gleiches gilt für die (leider zu wenigen) Wehrdiener, die ein gleiches Sinnerlebnis haben. Also warum nicht gleich ein Zivildienstjahr für alle, die keinen Wehrdienst leisten, und im anbrechenden Zeitalter der Frauenbeschäftigung im Bundesheer auch für junge Österreicherinnen? Meine Antwort dafür ist einfach: Weil ich fürchte, daß dann der Frust genauso um sich greifen würde, wie er immer noch im Bundesheer grassiert, halte ich nichts von „oben" verordneten Verhaltensweisen. Ich setze meine ganze Hoffnung auf Freiheit und Freiwilligkeit. Das gilt im übrigen für beide von mir in diesem Zusammenhang erwähnten Bereiche: Wehr- und Zivildienst. Ich glaube, daß das Milizheer mit der allgemeinen Wehrpflicht nicht mehr in unsere Gesellschaft paßt. Waffenhandwerk ist ein komplizierter Beruf geworden. Wer ihn ergreifen möchte, sollte dies als Profi tun. Das ist von mir jetzt keine Absage an eine wirksame Landesverteidigung, von deren unbedingter Notwendigkeit uns nicht zuletzt die tragischen Entwicklungen im ehemaligen Jugoslawien überzeugt haben sollten. Aber die Armee der Zukunft wird eine relativ kleine, aber effiziente, auf freiwilliger Mitgliedschaft basierende Berufsarmee sein. Und genau so sollen die Sozialdienste organisiert sein: professionell, effizient und freiwillig.

Einige gute Beispiele dafür gibt es bereits bei Umweltschutzorganisationen, die innerösterreichisch und international tätig – und dafür auch bekannt sind. Vielleicht verleiht ihnen ein Feindbild („die bösen Multis") jene Aufmerksamkeit in der Öffentlichkeit, die sie sonst nur selten oder gar nicht erlangen. Dann aber müßten wir in unserer demokratischen Reifung so weit kommen, daß wir auch jenen, die nicht gegen jemanden oder etwas, sondern für eine gute Sache sind, genauso mit unserem öffentlichen Beifall belohnen wie die Öko-Aktivisten. Fürchten aber müssen wir diese trotzdem nicht, auch wenn sie in ihren Aktivitäten bisweilen übers Ziel schießen oder als Single-issue-Protagonisten so tun, als wäre die ganze Welt heil, wenn nur das Ozonloch geschlossen und Atomstrom verboten würden. Sie bedrohen unsere Leistungsgesellschaft genauso wenig wie ein paar asoziale Unternehmer, die durch ihr Verhalten die Marktwirtschaft in Verruf bringen, aber diese auch nicht umbringen können.

Jedes freiwillige Engagement für ein richtiges Ziel ist gut und wichtig. Es beweist, daß auch der heute tonangebenden Generation der Sinn für die rechte Balance von Leistung und Hilfeleistung, von Mitarbeit und Mitgefühl nicht verlorengegangen ist. Ein unlösbarer Widerspruch? Nicht, wenn man mit F. Scott Fitzgerald davon überzeugt ist, daß es „ein Kennzeichen überragender Intelligenz ist, in Gegensätzen zu denken und dabei funktionsfähig zu bleiben." Wenn die neue Wirklichkeit, wovon ich überzeugt bin, diese sensible Balance zwischen Ich und Wir, zwischen Selbstverwirklichung und Solidarität einschließt, dann bleibt eine prinzipielle Existenzsorge um die Zukunft ein verzichtbarer Luxus.